CES FEMMES
QUI DÉTRUISENT...
LES FEMMES

Les ravages du « bitchage »

MARTHE SAINT-LAURENT

CES FEMMES QUI DÉTRUISENT... LES FEMMES

Les ravages du « bitchage »

Essai

BÉLIVEAU
★
éditeur

Montréal, Canada

Conception et réalisation de la couverture : Christian Campana

Dépôt légal : 2e trimestre 2009
Bibliothèque et Archives nationales du Québec
Bibliothèque nationale du Canada

ISBN 978-2-89092-422-2

5090, rue de Bellechasse
Montréal (Québec) Canada H1T 2A2
514-253-0403   Télécopieur : 514-256-5078

www.beliveauediteur.com
admin@beliveauediteur.com

Gouvernement du Québec — Programme de crédit d'impôt pour l'édition de livres — Gestion SODEC — www.sodec.gouv.qc.ca.

Nous reconnaissons l'aide financière du gouvernement du Canada par l'entremise du Programme d'Aide au Développement de l'Industrie de l'Édition (PADIÉ) pour nos activités d'édition.

IMPRIMÉ AU CANADA

« *Il suffit qu'un seul homme en haïsse un autre pour que la haine gagne de proche en proche l'humanité entière.* »

JEAN-PAUL SARTRE
Le Diable et le Bon Dieu

Toute ma reconnaissance à ces femmes rayonnantes
qui ont contribué à la réalisation de ce projet
et qui m'ont portée lorsque
le découragement a traversé ma route.

Table des matières

* * *

LISTE DES TÉMOIGNAGES

Mot de l'auteure

La réalisation de cet essai trouve son essence dans la volonté, voire la nécessité, de dénoncer le dénigrement des femmes entre elles — le fameux *bitchage* ou le commérage dégénérant très souvent en harcèlement psychologique — en observant à la loupe les mécanismes de cette pratique. L'idée d'offrir une tribune à certaines femmes qui ont vécu cette insidieuse réalité s'est présentée à moi comme une avenue intéressante à emprunter pour aider celles aux prises avec ce fléau.

Ma surprise fut complète lorsque des amies, à qui j'avais proposé d'insérer leurs témoignages dans ces pages, ont refusé de collaborer. Leurs raisons, fort simples et très compréhensibles, passaient du refus de rouvrir des plaies anciennes — sachant très bien qu'elles se ranimeraient, accompagnées de leurs douleurs — au refus de retourner dans leur passé, cherchant plutôt à regarder strictement vers l'avenir. Ces femmes refusaient de porter de nouveau l'étiquette de « victime », avouant que cet épisode de leur vie était réglé pour elles.

Avec le temps et le recul, j'ai enfin saisi le pourquoi de leurs capitulations. J'y reviendrai tout au long de ces pages. Personnellement, durant la rédaction de ce livre, je ne me suis jamais sentie « victime », mais plutôt « aidante ». Mon désir premier a été d'amorcer une réflexion sur notre responsabilité et même notre obligation de communiquer nos expériences et nos découvertes aux autres, surtout lorsqu'elles peuvent servir nos pairs féminins. Ces simples actions permettent de nous tourner vers l'avenir et de modifier peu à peu le cours des choses et, du même coup, de sensibiliser les femmes à leurs actions destructrices. Il nous incombe de dénoncer de tels comportements, certes pour nos pairs, mais aussi pour chacune de nous. Nous pourrions, de cette façon, avoir le sentiment de ne pas avoir vécu ces expériences pénibles inutilement.

En partageant notre parcours, aussi difficile soit-il, nous participons à une proposition de changement et tentons d'enrayer, par le fait même, la propagation de cette pratique — le *bitchage* — qui, à juste titre, nous a tant marquées au point de ne vouloir ou de ne pouvoir en parler. C'est peu banal !

Les femmes devraient pouvoir reconnaître les erreurs commises, se permettre de les dénoncer et créer ainsi un conditionnement différent, ce qui pourrait modifier définitivement ce comportement féminin pour les générations à venir. Par contre, si aucune démarche n'est entreprise, les femmes qui blessent les femmes au point de les détruire continueront de propager sans fin leur venin. « On m'a fait mal, à mon tour de faire mal. On m'a battue, je battrai moi aussi », pourrait-on les entendre dire dans de sempiternelles répétitions. Sommes-nous en mesure d'anticiper les conséquences à court et moyen termes de la destruction féminine ?

Pour l'instant, ce que nous pouvons affirmer, c'est que plusieurs des femmes qui ont été détruites par leurs semblables demeurent souvent dans un état de *burnout*. Certaines marchent sur les routes de la vengeance, alors que d'autres voyagent d'une entreprise à une autre, revivant encore et toujours les affres de la jalousie et de la mesquinerie féminines. N'est-ce pas là une vie misérable ? Certaines iront même jusqu'à quitter le marché du travail de manière permanente. Bel avenir pour les carrières féminines, n'est-ce pas ? D'autres avouent — en raison des supplices vécus — faire encore des cauchemars même après des années de retrait du marché du travail. C'est inacceptable !

Ces femmes qui détruisent sont toujours « en liberté », si je peux m'exprimer ainsi, et continuent à déverser leur malheur, leur mal de vivre autour d'elles. En parallèle, bon nombre de victimes choisissent de se taire. Celles-ci doivent parler, s'exprimer haut et fort, car je souhaite sincèrement, pour nos filles particulièrement, que la conscience féminine, riche de tout un potentiel d'avancement, parvienne à un plein épanouissement, laissant derrière elle quelques-unes de ses névroses et de ses frustrations. Car ces dernières sont bien vivantes en toute femme, et elles s'expriment à travers le filtre de vieilles blessures qui ne sont pas encore guéries.

Tout au long de ces pages, il sera facile de constater que parfois je parle au nom des « victimes », et parfois je tente de sensibiliser les « bourreaux ». Je passe tour à tour des unes aux autres selon le sujet traité afin d'exposer clairement la problématique et tenter quelques pistes de réflexion vers l'amélioration d'une situation inquiétante.

Teintés d'authenticité et de franchise, les repères proposés ainsi que les témoignages contenus dans cet ouvrage conduisent parfois à la révolte, à la souffrance, à la compassion, mais surtout, je le souhaite, à la réflexion.

Avant de débuter

QU'EST-CE QUE LA NÉCESSITÉ ?

La nécessité naît de la fréquence. Lorsqu'un événement se produit à répétition ou que l'on entend parler à outrance d'un sujet, il devient crucial de faire le point. Ce principe fort simple est à l'origine de cette rédaction sur le sujet très épineux que sont les relations entre les femmes. Après avoir vécu à maintes reprises des expériences professionnelles et personnelles particulièrement difficiles quant au sort que certaines femmes réservent à d'autres, et après avoir entendu régulièrement les histoires horribles de différentes personnes — tous milieux professionnels confondus —, il m'apparaît nécessaire, voire urgent, de faire le point sur cette réalité qui dégénère : réalité que l'on voudrait continuer d'ignorer, dont on aimerait négliger l'existence, car il est délicat d'aborder un tel sujet.

Trop de femmes parmi nous refusent d'admettre que cette situation se révèle très grave, pour ne pas dire alarmante. Sans plus, nous repoussons du revers de la main cette problématique. Et, pourtant, la récurrence de ce phénomène, de ce drame, lui confère un état d'urgence. Le danger de croire qu'il s'agit d'une normalité guette chacune d'entre nous. Intérieurement, nous pensons qu'il ne peut en être autrement : nous sommes les victimes de la destruction féminine. Nous vivons ce secret comme une véritable honte. Pourtant, dès que l'on aborde le sujet des femmes qui sèment le malaise autour d'elles par le biais de la méchanceté, aussitôt les regards s'illuminent et les confidences s'animent et se relancent.

Quelle femme n'a pas été la proie de commérage, de médisance et de *bitchage*, et ce, au moins une fois dans sa vie ? Qui n'a pas *bitché* ? Qui n'a pas été témoin d'une scène de dénigrement dans son environnement personnel ou professionnel ? Peu de mains se lèvent. Pourtant, encore aujourd'hui, nous abordons ce sujet avec retenue en faisant promettre à l'autre de n'en parler à personne. Sommes-nous conscientes que ce silence, souvent imposé par la honte et la culpabilité, contribue à entretenir l'atmosphère malsaine en milieu de travail, dans les familles ou entre amies (enfin, nous aimons croire qu'il s'agit d'amies) ?

Par ailleurs, je m'interroge souvent à savoir si les femmes peuvent être vraiment des amies dans le sens absolu du terme. Oui, bien sûr, mais ce n'est pas évident. Depuis notre tendre enfance, nous avons appris à nous surveiller, à craindre celles que nous croyions nos copines, car, dès la première occasion venue, certaines d'entre elles nous ont poignardées dans le dos. Plusieurs en sont demeurées marquées, et c'est pourquoi il semble important de nous pencher sur les raisons profondes de tels agissements.

Avec le temps, l'expérience démontre que les femmes sereines, épanouies et bien dans leur peau savent entretenir des relations amicales saines et authentiques. Par ailleurs, les frustrées, les envieuses et les jalouses, celles qui sont mal dans leur peau, entretiennent des relations où le contrôle et la dévalorisation de l'autre deviennent le noyau de l'amitié… enfin, ce qu'elles prétendent être de l'amitié. La sincérité n'est pas donnée à toutes les femmes. En outre, il apparaît clairement que le malaise intérieur (être mal dans sa peau) est à l'origine de bien des misères. Les causes, bien que nombreuses, trouvent toujours leurs origines quelque part dans le passé d'une personne.

Même dans des familles entières, le sentiment de supériorité peut guider quotidiennement les paroles et les actions de ses membres. Par exemple, ceux-ci éprouveront le besoin de mépriser l'entourage, jugeront une personne, la démoliront, ridiculiseront sa physionomie, ses compétences, sa personnalité... et j'en passe. Dans le même ordre d'idées, les résidants de certains quartiers se perçoivent tellement supérieurs aux autres qu'ils ne souhaitent pas s'aventurer à l'extérieur de leur pré. Lorsqu'ils s'y risquent, la comparaison avec leurs semblables va bon train. Le besoin d'être meilleur que son vis-à-vis va jusqu'à prendre le visage du malheur. Être « mieux » et être « pire » que l'autre devient le principal sujet de conversation. Ainsi, si vous avez connu un séjour de trois semaines à l'hôpital, eux en auront passé six, et possiblement dans le coma ! Si vous gagnez un bon salaire, alors le leur est trois fois supérieur. Si vous avez un accident et en ressortez avec une jambe cassée, eux auront assurément vécu pire : en plus de la jambe cassée, ils auront également le bassin et un bras fracturés. Certains ont baptisé ce phénomène « le syndrome du *Et puis moi...* » Ces spécimens, moins rares que nous le pensons, croisent souvent notre route.

CONSCIENTES DE NOS ACTES ?

Les femmes qui maltraitent les autres par leurs paroles et leurs actes posent réellement un geste violent. On s'indigne, et avec raison, lorsqu'on entend dire qu'une femme a été victime de viol et d'abus sexuels. Il est question ici de destruction psychologique et physique. Mais, qu'en est-il de la destruction intellectuelle, professionnelle, sans oublier psychologique qui, souvent, ne trouve d'exutoire qu'à travers la maladie physique ? Combien de femmes sont devenues malades parce qu'elles étaient harcelées à leur travail par leurs pairs féminins ? Combien de femmes ont quitté leur emploi avant de tomber malades, justement ? Combien de femmes ont carrément été congédiées par leur employeur à cause du *bitchage* ? Tout comme vous, je connais moult histoires à faire décoiffer les plus sceptiques.

Avant d'entreprendre la rédaction de cet ouvrage, j'ai partagé quelques-unes de mes observations avec mon entourage afin de justifier davantage — comme si c'était possible — sa nécessité. Les réactions m'ont fait frémir. On me demandait d'emblée : « As-tu besoin de témoignages ? » Je croyais que mes douloureuses expériences et mes observations dans les milieux de travail où j'ai œuvré nourriraient amplement ces pages. Pourtant, après avoir pensé intégrer des témoignages dans cet essai, un frisson d'horreur m'a envahie. Avons-nous toutes souffert de la méchanceté féminine ? Avons-nous été méchantes également ? Avons-nous reproduit, sans même nous questionner, l'abus de pouvoir, la perversité, l'intransigeance ou l'intolérance qu'une femme a utilisés envers nous un jour ? Fort possible ! .

Ce phénomène inquiétant débute très tôt dans la vie, c'est-à-dire à l'école. Ma fille de quinze ans m'a raconté avoir observé un GROUPE de filles s'acharner sur UNE seule. Bien sûr, les garçons en font tout autant avec leurs batailles, ce qui n'est guère plus honorable. Pour leur part, les filles détruisent en attaquant l'aspect psychologique. Est-ce simplement et bêtement la volonté de détruire et le plaisir de faire mal qui guident nos actions corrosives ou nos paroles malsaines ? Qu'est-ce qui ne va pas avec les femmes ? Est-ce que le besoin de *bitcher* est inné ? Sommes-nous capables de réfléchir avant d'ouvrir la bouche pour cracher notre venin ? Sommes-nous simplement à la merci de nos sentiments, de notre TROP grande sensibilité ? Sommes-nous TROP émotives pour vivre en société ?

DÉNI DE LA RÉALITÉ

Tous les jours, de nombreuses femmes subissent des mauvais traitements de la part d'autres femmes, et nous, nous demeurons là à observer ce phénomène inquiétant dont nous refusons de parler ouvertement. J'ai même entendu quelques-unes se réjouir d'un congédiement injuste comme s'il s'agissait d'une victoire. N'est-ce pas pathétique ? Notre vie est-elle à ce point vide que nous n'ayons rien d'autre à faire que nous nourrir de ragots, de potins, de qu'en dira-t-on ?

Cessons de reléguer à l'arrière-plan l'existence de ces pratiques destructrices qui, en fin de compte, entraînent des conséquences désastreuses pour bon nombre d'entre nous. Même si nous pouvons applaudir l'avancement des femmes dans plusieurs domaines, il reste encore beaucoup à faire à bien d'autres niveaux. Nous constatons que celles qui sont mal dans leur peau, *insécures* et frustrées ne parviennent pas à discuter honnêtement afin de régler un malaise. Du coup, nous observons qu'en seulement dix ans, les relations entre femmes se sont détériorées. Nous ne pouvons plus banaliser les effets négatifs du *bitchage*. Le phénomène de la destruction entre femmes se répand comme une traînée de poudre, gagne du terrain, et les répercussions nous frapperont de plein fouet d'ici peu, si nous ne faisons rien.

Nous ne devons plus ignorer que la réputation des femmes est entachée. Nous entendrons autant les femmes que les hommes dire : *Les femmes sont des faiseuses de troubles. Toutes les femmes « bitchent », c'est prouvé.* Il est temps d'admettre que nous avons mauvaise presse, d'envisager d'effectuer des changements non pas pour la cour, mais pour l'évolution et l'épanouissement sain de la femme. Nous pouvons toujours tenter de nous convaincre que ceux qui tiennent un tel discours sont machistes, frustrés, fous ou simples d'esprit, mais que faisons-nous lorsqu'il s'agit d'une large majorité qui s'exprime sur le sujet? Nous ne pouvons plus répéter : *Personne n'est correct à part moi!* Sur cinquante femmes rencontrées, quarante-cinq ont avoué avoir vécu une expérience traumatisante et les autres connaissent quelqu'un qui a subi la destruction féminine. Lourd bilan, n'est-ce pas? Qu'attendons-nous pour modifier notre comportement?

DROITS DES FEMMES

Nous ne sommes pas sans connaître les victoires des femmes depuis quelques décennies. Pensons à l'époque, pas si lointaine, où elles n'avaient pas accès aux études; confinées dans leur cuisine, elles s'occupaient des enfants et du mari rentrant de son travail. Pensons à la lutte féminine pour obtenir le droit de vote. N'oublions jamais les femmes qui se sont mariées il y a quelques décennies et qui ont perdu du même coup leur identité, car elles étaient tenues de porter le nom complet de leur mari précédé de « madame ». Gardons aussi en tête toutes les batailles légales gagnées par les femmes : études, vote, divorce, avortement…

Avons-nous songé un instant au tort que nous nous causons à nous-mêmes par notre attitude destructrice envers nos pairs féminins? En détruisant notre estime de soi, nos compétences professionnelles, notre créativité et notre santé, c'est l'avenir féminin que nous détruisons. Puisque notre réputation s'arrête à cette appellation — *faiseuses de troubles* —, quel employeur, dans dix ans, voudra nous embaucher? À compétences égales, il est facile d'imaginer que la gent masculine sera priorisée. Ici, il ne s'agit pas d'être alarmistes, mais conséquentes dans nos actes. Réfléchissons un peu et comprenons que le *bitchage* et la médisance ne servent à personne, en plus de jouer contre l'avenir des femmes tout court.

Avec le temps, nous perdrons nos acquis si ardemment gagnés et nous serons les seules à blâmer. Les batailles que d'autres ont livrées pour nous sont en train de se perdre doucement, et cette perte est sûrement causée par notre insouciance et notre incapacité à voir plus loin que le bout de notre nez. Ce discours n'est associé à aucune attitude sexiste, mais davantage aux droits de l'être humain et à la responsabilité qu'il a envers lui-même et envers l'autre.

PREMIÈRE PARTIE

Relations professionnelles

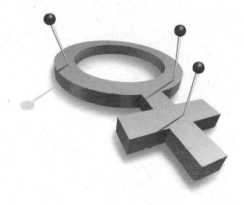

CHAPITRE 1

Expériences professionnelles

Pourquoi favoriser les deux témoignages qui suivent? Simplement parce qu'ils illustrent dans leur ensemble presque tous les problèmes dont il sera question tout au long de cet ouvrage. Ils sont présentés dans leur version complète et exposent parfaitement une situation à laquelle toute femme peut s'identifier.

Dans le premier témoignage, Monique a travaillé très fort afin que Judith remette sa démission, ce qu'elle fit avant de tomber malade. Dans le deuxième, Andréa remercie sauvagement Mireille de ses services, car elle ne s'entend pas très bien avec cette dernière. À titre d'exemples, ces histoires et les personnes impliquées seront citées à quelques reprises au cours des chapitres qui vont suivre car, lors de longs entretiens, Judith et Mireille ont partagé avec moi leur histoire, ainsi que leurs analyses et les conséquences néfastes dans leur vie.

Deux témoignages

* * *

Guerre à finir

L'histoire de Judith

Alors que j'habite à l'extérieur du Québec, je joins l'équipe d'une entreprise de groupe-conseils pour occuper les fonctions de secrétaire-réceptionniste. J'ignore complètement l'histoire de l'entreprise, mais Éric, le directeur, et Olivier, son adjoint, croient important de m'informer du licenciement de ma prédécesseure. Cette petite équipe de huit employés me fait penser à une famille et cela me plaît.

Je rencontre Jacinthe, la belle-sœur du directeur. Elle occupe les fonctions de conseillère aux ventes. Nous nous lions d'une amitié professionnelle, sans plus. Monique, qui occupe les mêmes fonctions, est beaucoup plus nerveuse et fière, et elle garde ses distances. Elle entretenait une très grande complicité avec ma prédécesseure. Elle ne semble pas m'apprécier, malgré mon désir d'offrir le meilleur de moi-même à cette entreprise. Son mari occupe le poste de directeur de la production.

Entre autres attitudes étranges, Monique se gardait bien de m'informer de la mention « urgent » apposée sur le travail qu'elle m'apportait. Je le plaçais donc sous la pile. J'ai compris, par la suite, la raison de son comportement. Un dossier était monté contre moi.

Je ressentais bien son aversion pour moi, mais le geste d'aller voir le directeur pour lui dire : « Je sens que Monique ne m'aime pas » ne me ressemble pas. Comment, de toute manière, aurais-je pu vraiment lui présenter une situation dont j'ignorais les tenants et les aboutissants ? Je considérais ce nœud relationnel plutôt inconfortable et malvenu, mais bon… à part mon conjoint, personne ne se doutait du drame que je vivais. Certains jours, j'en arrivais même à douter du bien-fondé de mes perceptions, au point de croire, à un certain moment, que cette situation conflictuelle n'existait que dans ma tête.

Puis, Noël arrive avec son incontournable party de bureau. Les coudes sont légers, l'alcool coule à flots et, durant la soirée, je ressens l'énergie négative et néfaste que cette femme déverse sur moi, cette fois de manière très subtile. Comment exprimer les mots qui restent en moi de crainte d'être mal interprétée, mal entendue, mal perçue?

Pour comble de malheur, Olivier, rempli de joie et de folie, propage l'idée que j'ai un très beau décolleté arrière — à l'inverse de celui de Monique, qui laisse entrevoir sa plantureuse poitrine. Il me demande de faire un tour de table pour le montrer à ceux qui ne l'ont pas encore vu. Après de multiples protestations de ma part, je me vois contrainte de me pavaner comme un paon. Afin de calmer la rage évidente de Monique, je l'invite au même exercice. Les dés sont lancés.

Début janvier, après le retour au travail, la haine de Monique est à son apogée et l'ambiance commence à dégager des relents de vengeance. Je continue de nier cette impression qui me traverse le corps et qui clignote comme un signal d'alarme dans mon esprit. Je poursuis mon travail en refusant de me laisser manipuler par cette femme que je considère de plus en plus « contrôlante ». Mais sa stratégie ne se dore pas toute seule sous le soleil de la négativité.

De jour en jour, influencée par des propos dont j'ignore la teneur, l'équipe adopte une attitude différente envers moi. Je tente d'ignorer ce comportement à mon égard, mais c'est de plus en plus difficile. Sans me prévenir, Monique s'absente régulièrement du bureau, ce qui m'empêche de répondre adéquatement à ses clients, ne connaissant plus son horaire. Je prends donc les messages, incapable de les informer davantage.

Dès son retour au bureau, Monique tente de me culpabiliser. Je sais très bien que je ne peux pas faire mon travail correctement en raison de son manque de collaboration. À ce moment précis, ce que je ne sais pas, c'est que, pendant tout ce temps, elle monte un dossier contre moi afin de prouver mon incompétence. À cette époque, j'ignorais les rouages d'un tel stratagème guidé par la méchanceté et les frustrations personnelles.

Un bon matin, je me rends dans l'atelier pour discuter avec les chargés de projets. On me répond très sèchement et me fait comprendre que ma place n'est pas dans leur pièce. Les vibrations négatives sont telles que je décide de ne plus m'aventurer dans cette partie du bureau. Je me garde d'en parler aux dirigeants, car je ne sais vraiment pas comment expliquer la situation qui prévaut sans qu'on me colle l'étiquette de paranoïaque. Au fond, que pourrais-je vraiment dire ? Je sens que Monique me déteste, car je représente un danger pour elle. Elle est contrôlante, inquiète et mal dans sa peau. De plus, je m'entends bien avec Jacinthe, qu'elle déteste. Finalement, elle monte toute l'équipe contre moi. Comment expliquer une telle situation à des dirigeants dont les préoccupations réelles ont une connotation monétaire ?

De plus en plus, son jeu me paraissait si stupide et enfantin que le silence me semblait encore la meilleure avenue pour moi. Je tentais de désamorcer sa haine en demeurant dans mon coin… en vain. Avec du recul, ma réaction ressemblait à celle d'un enfant victime d'inceste qui se tait de peur d'aggraver la situation et dans la crainte que personne ne le croie. Jour après jour, j'absorbais ce malaise et cette haine qu'on nourrissait à mon égard. Je ne voulais plus travailler, je collectionnais les erreurs stupides lorsque j'effectuais mes tâches, et ma joie de vivre se transforma rapidement en inconfort et en dévalorisation personnelle. L'énergie que je déployais pour tenter de garder la tête hors de l'eau m'épuisait littéralement et m'enlevait complètement le goût même de vivre.

Puisque rien ne semblait s'améliorer dans ce milieu de travail, je demandai à mon conjoint : « Si je remets ma démission demain, est-ce que cela affectera de manière catastrophique notre situation financière ? » Il me répondit : « Non, nous pouvons nous permettre un seul salaire pour quelque temps. Tu ne vas pas te rendre malade, ça ne sera pas mieux ! » En effet, la maladie se présentait comme une avenue intéressante à emprunter et presque comme une fin en soi pour fuir cette mauvaise ambiance.

Forte de l'appui de mon conjoint, je me rendis au travail le lendemain avec une confiance en moi quelque peu retrouvée, ce qui me permit de terminer la journée. Vint le moment où le couvercle de la marmite sauta. Monique tomba dans le piège de mon indifférence et alla elle-même se plaindre de mon manque de compétences à Olivier. Son venin empoisonné, elle le crachait partout telle une hystérique, si bien qu'Éric et Olivier décidèrent de convoquer une réunion d'urgence, après les heures de travail, avec elle, son mari, Jacinthe, qui m'appréciait bien, et moi-même, bien sûr.

La présence de ma seule alliée dans ce combat fatal était un geste de la part de mes supérieurs que j'associai à une intelligence émotionnelle et tombait sur moi comme un doux baiser sur ma joue. Je savais que je n'avais pas besoin de Jacinthe pour me défendre ; par contre, sa présence me réconfortait et me motivait davantage à livrer le combat jusqu'au bout. Par cette décision, je comprenais que les dirigeants étaient de mon côté. Je n'avais besoin de rien de plus pour retrouver le sens réel de mes propres valeurs.

Dix-sept heures sonna et Monique rageait de ne pouvoir quitter le bureau avec son mari pour aller chercher leur fille à la garderie. Assise l'une devant l'autre, une table de conférence entre nous, je me souviens parfaitement de son regard rempli de haine, de souffrance et de vengeance qui me mitraillait. Plus elle me détestait, plus je tombais dans une forme d'indifférence et de calme.

C'est alors qu'elle lança : « Je n'ai pas le temps pour une réunion, je dois aller chercher ma fille. C'est à cause d'ELLE si nous sommes ici », conclua-t-elle en levant les yeux au plafond. Éric de répondre : « Nous prendrons le temps dont nous avons besoin pour résoudre ce conflit. C'est toi qui as manifesté de l'insatisfaction face au travail de Judith, nous devons régler ça aujourd'hui. Il me semble que l'atmosphère se détériore depuis quelques semaines. Nous aimerions comprendre ce qui se passe afin de pouvoir intervenir adéquatement. Alors, Judith et Monique, que se passe-t-il ? »

Je choisis de me taire afin de mieux comprendre ce qu'on me reprochait. En effet, même si je savais pertinemment que mon apparence physique et ma personnalité étaient à l'origine de cette guerre, Monique n'allait certainement pas l'avouer. Par conséquent, les véritables fondements de ses reproches m'étaient partiellement inconnus. « Insatisfaction face à mon travail », Éric venait de lancer la problématique. Je m'aperçus rapidement que Monique n'était pas vraiment préparée à ce genre d'intervention. C'est elle qu'on accusait de se plaindre au lieu qu'on saute à pieds joints sur moi comme elle aurait aimé. Du coup, tous les regards se tournèrent vers elle et le seul choix qu'il lui restait était de parler.

Monique : Je commence à être écœurée, Judith est incompétente et elle n'est pas aimable envers moi.

Éric : Nous trouvons Judith très compétente, que lui reproches-tu ? Elle ne fait pas tes soumissions ?

Monique : Elle perd mes appels et ne répond pas adéquatement à mes clients. Elle ne les informe pas de mes heures d'arrivée au bureau, ne prend pas correctement mes messages et ne fait pas mes soumissions assez rapidement. Elle fait celles de Jacinthe avant les miennes. Je rentre le matin, je lui dis bonjour et elle ne me répond pas. Elle est bête avec moi. »

Sa plainte s'éternisa et dégénéra lentement en reproches personnels à peine déguisés. Lorsqu'elle sembla à court d'arguments,
son mari reprit le flambeau et amena l'idée que j'étais constamment au téléphone lorsqu'il rentrait au bureau, que je recevais
des appels personnels, et que je ne faisais pas mon travail.

Estomaqués devant tant de haine et de rage déployées envers
moi, nous écoutions tous avec autant d'attention que d'émotion.
Je jetais régulièrement un œil sur Éric et Olivier attablés à chaque extrémité et j'avais le sentiment profond d'être au cœur
même d'un film d'horreur. Les deux hommes prenaient des
notes et Jacinthe, à mes côtés, avait les larmes aux yeux. J'écoutais et un calme m'envahit, mon texte s'écrivant au fur et à
mesure que Monique crachait ses sottises. Je savais intérieurement que mon conjoint m'appuyait dans ma démarche. Je savais
comment se terminerait cette aventure et je décidai que
Monique devrait affronter la vérité avant la tombée du rideau.

Olivier : Bon, ça va, Monique, nous comprenons bien ce que tu
exprimes. Que peux-tu dire, Judith, sur ces faits énoncés?

Moi : Premièrement, je voudrais, ma chère Monique, faire le
point sur tes accusations non fondées, histoire de remettre les
pendules à l'heure. Le matin, JE te dis bonjour et TU ne réponds
pas. Si un matin je n'ai pas répondu, c'est que j'étais probablement au téléphone. Tu sors par la porte arrière sans m'avertir, je
ne possède pas le don de voir à travers les murs. Je ne peux
deviner ton absence. En voulant me monter un dossier, tu punis
toi-même tes clients. Puisque tu ne me dis jamais l'heure à
laquelle tu arriveras, je ne peux répondre adéquatement à tes
clients. Par contre, Jacinthe me laisse son horaire. T'ai-je perdu
des appels, Jacinthe?

Jacinthe : Non, jamais, et mes soumissions sont impeccables et
remises à temps.

Moi : Monique, si tu ne me dis pas que ta soumission est
urgente, je la place en dessous de la pile. Je n'arrêterai pas ce

que je fais pour faire ta soumission. Tu n'as aucun privilège et je ne suis pas l'ancienne secrétaire. Elle a été congédiée et je n'ai pas pris sa place. Par ailleurs, je suis la seule que tu n'arrives pas à manipuler. Voilà le vrai problème, c'est de ça que tu as honte de parler peut-être ? Et toi (m'adressant à son mari) qui prétends que je reçois des appels privés, qui donc reçoit des appels pour la location de ses logements tout au long de la journée ? Maintenant, je crois que nous parlons des vrais problèmes, n'est-ce pas ?

Je me tourne en alternance vers Olivier et Éric. Je lis la déception sur leur visage. Je fixe Monique droit dans les yeux et je sais que mon regard est sincère et juste. Elle ne cherche qu'à partir, ne sachant plus où se placer. À travers cette tension, Éric intervient.

Éric : Merci, nous avons maintenant une bonne idée de la problématique. C'est plus complexe que ce que nous pensions. Vous pouvez quitter. Monique, on se parle demain matin.

Moi : J'aimerais encore ajouter un mot, Olivier et Éric, s'il vous plaît.

Olivier : Oui, sans problème.

Nous demeurons tous les trois assis, eux en face de moi.

Éric : Pourquoi ne pas nous en avoir parlé avant ?

Moi : Que pouvais-je dire ? Il apparaît assez clairement que Monique me déteste ! Qu'auriez-vous fait de plus ?

Olivier : Oui, il faut être aveugle pour ne pas le voir, on sent parfaitement bien qu'elle te déteste, mais le problème nous revient. Nous allons discuter ce soir, Éric et moi, et demain on se reparlera.

Moi : Non, je veux régler ça maintenant. À la suite de cette rencontre, je vous remets ma démission. Vous comprendrez qu'il n'y a rien à réparer, certainement pas de sa part. Et en ce qui me concerne, elle ne trouvera aucune grâce à mes yeux. Sa vie sera encore plus misérable. Demain matin, je ne pourrai pas lui dire bonjour comme si rien n'était arrivé. De toute manière, l'équipe au complet est désormais tournée contre moi. Je crois que quitter est la meilleure chose à faire. Oui, j'ai besoin de travailler, mais pas au prix de ma santé.

Olivier : C'est injuste. C'est elle que nous devrions remercier. Bien sûr, on ne peut se permettre de perdre deux employés qui occupent des postes aussi importants, car on ne pourrait certes pas garder son mari. Mais nous comprenons bien qu'ils représentent un véritable problème.

Ce soir-là, je rentrai chez moi. Je n'ai aucun souvenir du retour, le trajet n'avait aucune importance. Seul le poids de mon corps et de mon âme me pesait et je n'arrivais pas à faire taire ma souffrance. Lorsque j'arrivai chez moi, je n'avais pas faim et je racontai l'histoire à mon conjoint, qui écouta patiemment. Je pleurais. Mes nerfs et mon stress se relâchaient en même temps. Je souffrais profondément et ne savais comment apaiser cette douleur.

— J. S.

* * *

Gestion sans expérience

L'histoire de Mireille

Dans le nord du Québec, il y a à peine quelques années, j'ai rencontré en entrevue Colette, la directrice générale d'un organisme dans le domaine de la santé, pour occuper le poste aux communications. Elle m'apprend qu'elle quittera bientôt pour un autre organisme, mais qu'Andréa, une chargée de projets à l'interne depuis cinq ans, prendra la relève comme directrice. Je rencontre Andréa et la chimie est moins palpable, mais nous décidons pourtant de nous aventurer toutes les trois dans l'avancement du projet d'embauche. Les cartes sont jouées et je le sais. La relation avec la nouvelle directrice sera plus difficile, nos tempéraments étant.complètement différents, et son manque d'expérience dans la gestion de personnel n'aidera certainement pas.

Andréa me convoque pour une deuxième rencontre. Après un échange fructueux, elle me confirme mon embauche. Je me rends dans le bureau de Colette et, dès lors, je sais que cette femme me manquera énormément. Elle me dit qu'elle est très fière de compter parmi son équipe, même temporairement, une nouvelle ressource avec autant de compétences professionnelles que les miennes. Je suis ravie de ses commentaires et me réjouis déjà de mes nouvelles fonctions.

Nous sommes en période d'avant les vacances d'été. Je suis laissée à moi-même, car Colette s'occupe de transférer les dossiers à Andréa. On me dit : « Attends après les vacances, tu travailleras beaucoup. » Mes préoccupations se portent davantage sur le départ de Colette, dont la gentillesse et le côté humain tranchent avec la froideur d'Andréa. Mais je ne veux pas influencer le cours des choses et je mets sous le tapis cette sensation de malaise. C'est le départ d'un pilier, le départ d'une femme qui a apporté beaucoup à l'organisme et, pour le moment, c'est ce qui importe. Lisette, l'adjointe d'Andréa, qui cumule le plus d'années d'expérience à l'interne, « contrôle » à sa manière le bureau. Six femmes dans un bureau, aucun homme… Colette me répète de faire ma place au sein de cette nouvelle équipe et recommande au conseil d'administration (CA) de me nommer rapidement directrice adjointe afin de seconder Andréa.

Je trouve l'idée inconfortable, car je n'ai aucune envie d'occuper ce poste à court, à moyen ou à long terme. Je ne possède pas les compétences politiques pour occuper de telles fonctions et, ma foi, je n'ai jamais ressenti le besoin de les développer. Les fonctions aux communications me conviennent parfaitement, et puisque je ne suis pas attachée aux titres et encore moins aux prestiges, cela m'indiffère d'être adjointe ou non. Toutefois, avec un certain recul, je crois que cette intervention de la part de Colette n'a pas servi ma cause.

Ainsi, durant cette période transitoire, je suis laissée à moi-même. Lisette vient me voir souvent dans mon bureau pour tenter de créer un lien d'amitié, mais surtout pour parler contre les autres femmes de l'entreprise, y compris les directrices. Je sais pertinemment que, si Lisette parle contre les autres, elle parle forcément contre moi. Sa grande gentillesse et son besoin de parler de son ex-mari me font supporter son discours, mais ce dernier m'hypnotise certains jours. Je me livre forcément à quelques révélations, et ce, sans vraiment m'en rendre compte, comme on le fait au cours d'une conversation.

Les vacances d'été arrivent et je peux enfin me reposer un peu. Ma vie privée connaît de grands remous, modulés par d'importants changements. Dès le mois d'août, je déménage pour m'éloigner de mon milieu de travail, avec tout ce que cela comporte : fatigue, manque d'énergie, déséquilibre émotionnel et épuisement physique.

De retour au travail, Andréa sent l'insécurité monter en elle en me voyant accomplir des tâches de manière différente d'elle, surtout en constatant ma fragilité durant cette période houleuse de ma vie et en réalisant que je n'ai pas reçu de formation. Cela fait de moi une candidate à fuir. Ainsi débute un calvaire digne du *bitchage* féminin. Lisette se retrouve presque quotidiennement à huis clos durant trente bonnes minutes dans son bureau. Je sens que mon sort s'y joue.

Un jour, Andréa me convoque dans son bureau pour me prévenir des erreurs que j'ai commises et que mes heures sont comptées. Elle remet en question mes compétences et mes qualités. Elle se questionne même sur la véracité de mes expériences dans mon curriculum vitæ. Elle me dit comprendre parfaitement ma situation, mais ne peut se permettre de ne pas avoir une excellente employée. Pour elle, je suis une simple employée lorsque cela fait son affaire, c'est-à-dire à l'extérieur du bureau, et précieuse à l'intérieur. Je dois prendre des décisions, mais elle craint constamment que je ne prenne pas les bonnes. La marge d'erreur devient inexistante. Lisette vient toujours rôder dans mon bureau et lui rapporte des informations d'une façon que j'ignore.

Andréa critique la rédaction de mes communiqués de presse, qu'un membre du Conseil exécutif reprend afin de les transposer en un interminable poème, dans une prose digne de mention. Rien à voir avec l'éthique de la profession, mais là aussi, j'ai tort. La cerise sur le sundae arrive lorsque je participe à un événement auquel elle n'avait pas autorisé ma présence. De retour au bureau, elle se fâche contre moi comme si j'avais commis un crime, stipulant que les employés ne doivent pas faire ceci ou cela, et que c'est plutôt à elle de décider de ma présence et de mon niveau d'implication. Je ne suis tout de même pas la concierge, je suis agente aux communications! Quoi qu'il en soit, deux jours plus tard, elle me convoque dans son bureau après la visite matinale de Lisette pour me dire :

« Bon, je ne passerai pas par quatre chemins, ça ne fonctionnera pas entre nous. Je n'ai pas confiance en toi, tu ne sembles pas heureuse, et je ne peux pas me permettre de travailler avec quelqu'un sur qui je ne peux pas me fier.

— Très bien, quand désires-tu que je parte?

— Mais, tu ne dis rien?

— Non. Pourquoi?

— Tu n'as rien à dire?

— Non, que veux-tu que je dise? Je connais très bien nos différences. Dans la mesure où tu décides que tu ne peux pas t'entendre avec moi, que puis-je faire d'autre? Moi, je suis professionnelle et je fais mon travail.

— Depuis quelque temps, tu fais bon nombre d'erreurs, les membres du CA ont été très déçus de la rédaction de ton communiqué de presse et, en plus, tu as des problèmes à t'intégrer au groupe.

— Ah oui ? Pourtant, je m'entends bien avec tout le monde ici. Par contre, moi, le commérage pendant l'heure du dîner, ça ne m'intéresse pas. Je préfère sortir. Je n'éprouve pas de problèmes d'intégration, je fais tout simplement un choix.

— De toute façon, ma décision est prise ; je ne me sens pas bien, je ne sens pas que tu es la personne qu'il me faut. Tu peux partir quand tu veux. Vendredi ou avant.

— OK, je terminerai vendredi. Je placerai les dossiers en ordre et ferai un suivi pour celle qui me succédera.

— Oui, je compte embaucher une plus jeune et je lui montrerai ma manière de travailler.

— En effet, tu pourras la mettre à ta main. »

Sur ces paroles, je quitte le bureau en regardant Lisette directement dans les yeux, mais elle détourne son regard, feignant de ne pas me voir. Son malaise envahit le bureau. Le lendemain matin, j'arrive plus tôt pour parler à Andréa.

« Je sais que Lisette t'a rapporté des choses. Je trouve cette attitude franchement ordinaire. Je suis contente qu'une jeune femme comme toi accède à des fonctions de directrice et j'espère qu'elle n'aura pas ta peau, un jour. Dis-toi bien que, si elle parle contre moi, elle parle également contre toi et les autres.

— Je sais et, d'ailleurs, je vais la rencontrer après ton départ. C'est à moi de gérer ça. C'est certain, Mireille, que j'ai dit à Lisette qu'elle avait plus à gagner d'être de mon côté que du tien. D'autre part, je sentais un malaise avec toi. Lisette n'a fait que me le confirmer. »

Je persiste à croire, après cette expérience, que tout individu dont les responsabilités sont de diriger du personnel devrait suivre une formation pour apprendre à les assumer adéquatement. Un humain n'est pas un dossier. Les répercussions d'un mauvais traitement sont grandes, des blessures profondes s'imprègnent dans notre cœur, notre tête et notre âme et nous suivent longtemps. Déjà une mise à pied n'est pas simple à vivre et elle l'est davantage lorsqu'il n'y a aucun savoir-faire.

— M. L.

* * *

SENTIMENTS QUI EN DÉCOULENT

Au cours de telles situations et selon la durée du processus de destruction, les sentiments diffèrent. En partant de ces deux témoignages comme points de repère, nous pouvons déterminer que la tristesse est probablement le premier sentiment qui se manifeste; puis viennent ensuite la rage et la colère. Finalement, un goût de vengeance prend tout l'espace. Le désir de faire payer notre douleur traverse notre esprit. On hait les femmes qui ont travaillé à notre destruction, et avec raison. Mais là n'est pas la solution... Nous ressentons de l'injustice et aimerions régler le problème en imaginant des discussions qui, hélas, n'auront jamais lieu.

Lorsque nous sommes prises dans de telles situations, nous tournons et retournons les faits dans notre tête, nous devenons paranoïaques et nous croyons que tout le monde dans le bureau est au courant de ce qui se trame. Malheureusement, nous avons parfois tort, même si, dans les faits, les femmes choisissent souvent de se regrouper pour renforcer leurs perceptions afin d'effectuer leurs bassesses. Par exemple, dans le deuxième scénario, Andréa aurait simplement pu parler à Mireille pour tenter de trouver une solution plutôt que de lui donner un ultimatum et d'intégrer Lisette dans son plan. Évidemment, cette dernière ne demandait pas mieux que de s'adonner au commérage pour se rendre utile.

Dans les deux situations précédentes, la délivrance s'est intriquée rapidement à la rage et à la tristesse. Il s'agit de la délivrance d'un malaise intense, d'un mauvais traitement reçu, d'une atmosphère malsaine qui empoisonne notre vie depuis un certain temps et qui, tout à coup, prend fin. Alors, l'agonie tire sa révérence. Nous pouvons comparer cette situation à celle d'une femme battue, c'est-à-dire qu'elle vit un long processus de souffrance psychologique qui l'affaiblit, la rendant plus vulnérable. L'acharnement d'un groupe sur un individu provoque souvent l'incompétence, car plus on se sent épié, observé, surveillé, plus on commet des erreurs, des bêtises.

Durant le processus de destruction, en plus des journées, les nuits deviennent rapidement cauchemardesques et se transforment en insomnie. La santé physique est rapidement affectée, entre autres, par la dette de sommeil. La femme sur laquelle un groupe s'est acharné pendant des heures, des jours, des mois, voire des années, en ressort complètement démolie et très souvent malade. Le surplus de travail n'est pas toujours à l'origine du *burnout*. On commence à peine à percevoir cette pénible réalité.

Dans le premier témoignage, l'expérience avait complètement anéanti Judith. Elle a pleuré durant des semaines et des semaines, en se répétant qu'elle ne pourrait plus jamais travailler. Elle avait perdu toute confiance en elle sur le plan professionnel, bien sûr, mais également sur le plan personnel, les attaques visant autant sa personnalité que son travail. Elle était complètement démolie, ne se reconnaissant plus aucune valeur, arrivant à peine à se regarder dans le miroir. Évidemment, l'idée de chercher un autre emploi ne lui traversait même pas l'esprit. Cloîtrée dans une insécurité profonde, semblable à une femme victime d'inceste, Judith avait honte et fuyait toutes questions portant sur son arrêt de travail. Seules ses amies proches connaissaient la vérité. Pour les autres, elle tricotait une version moins pénible et moins humiliante.

Le soir venu, elle ne trouvait le sommeil qu'après de longues heures de conversations imaginaires avec la principale intéressée. Étendue dans son lit, elle démarrait des scénarios qui, bien sûr, avantageaient sa situation. Inlassablement, elle inventait des dialogues avec, comme trame de fond, le déversement de ses frustrations, de sa colère et de sa rage. Elle allait même jusqu'à lui créer des répliques auxquelles elle répondait, et ainsi de suite. Les heures sans sommeil passaient et ses conflits intérieurs ne faisaient que grandir. Cette expérience l'envahissait, le jour comme la nuit. Ce sabotage professionnel hantait la vie de Judith et son être tout entier. Elle ne pensait qu'à cela, ne vivait que pour régler tout cela et, surtout, elle était habitée par le désir de prouver, un jour, qu'elle est quelqu'un.

Après des mois à éprouver de profonds malaises, Judith a décidé de consulter un thérapeute qui lui apporta soutien et compréhension, ce qui lui a permis de se centrer de nouveau. Elle a repris confiance en elle-même ainsi qu'en ses compétences professionnelles, mais continuait d'accepter avec méfiance les contrats qu'on lui proposait dans son champ d'expertise, le journalisme. Son premier mandat, à la suite de ces événements, l'amena à Toronto afin de réaliser une entrevue avec une importante firme de téléphonie. Ce premier succès a été déterminant pour son cheminement et son évolution vers sa reconstruction.

À partir de ces premiers témoignages, nous pouvons identifier rapidement que les femmes frustrées et mal dans leur
peau ont une propension à s'acharner sur celles qui, de
manière générale, se sentent bien dans leur peau, sont moins
névrosées ou se tiennent simplement à l'écart du « troupeau ».
En d'autres mots, ces deux femmes ont appris à la dure école
que plus elles sont bien dans leur peau, plus elles dérangent.
Pour sa part, Judith a dû consulter un thérapeute, comme bon
nombre de femmes, incidemment, pour éliminer tous les rési-
dus de cette tempête affreuse.

Pour tenter de comprendre plus en profondeur les problématiques représentées à travers ces témoignages, essayons de
définir et d'analyser les mécanismes du *bitchage,* bien
présents dans ces deux témoignages et à l'origine de la destruction féminine.

CHAPITRE 2

Le *bitchage*

N'est-il pas extraordinaire de constater que, même si un mot n'existe pas — c'est-à-dire n'est pas reconnu par un outil de référence —, tout le monde en connaît quand même la définition? Le mot *bitchage* trouve son origine dans le verbe *to bitch about*, qui signifie — d'après le terme anglais *bitch* et surtout dans son utilisation générale — « parler en mal dans le dos de quelqu'un ». D'entrée de jeu, nous comprenons qu'il ne s'agit pas d'une qualité lorsque nous traitons une femme de *bitch*; il s'agit plutôt d'une garce ou d'une salope. Dans la langue française, la définition de *bitcheuse* est très forte et négative, et nous pourrions même la qualifier de décapante.

Ainsi, le terme *bitchage*, de plus en plus utilisé dans la langue française, est réservé surtout aux femmes. Nous commençons à peine à entendre qu'un homme *bitche*. Bien sûr, les hommes le font mais différemment, parfois de manière guère plus louable, mais ils peuvent *bitcher*, c'est un fait. Or, cette expression étant principalement attribuée aux femmes, le qualificatif n'a plus besoin d'accompagner son sujet. Par exemple, lorsqu'on entend cette phrase : « Ça *bitche* au bureau », tout le monde tient pour acquis qu'il s'agit de femmes. Personne ne demandera : « Qui *bitche* ? » Cette observation est désolante, mais bien réelle et généralisée.

Lorsque nous « devons » parler dans le dos de quelqu'un, forcément en son absence, les propos sont nécessairement négatifs et parfois même virulents. Si nous voulions parler des qualités d'une tierce personne, c'est avec joie et plaisir que nous les formulerions personnellement en sa présence. Nous n'aurions pas besoin de nous répandre ailleurs avec un air de conspiratrice.

Récentes discussions sur le *Bitchage*

Les raisons qui motivent la rédaction de ce livre vont bien au-delà de mes propres expériences. En fait, en l'espace de six mois, des amis et des connaissances (que parfois je n'avais pas vus depuis de nombreuses années) m'ont révélé, lors de rencontres purement amicales, leur inquiétude devant le phénomène du *bitchage* dans leur milieu de travail. Hommes et femmes exprimaient leur incompréhension, leur fatigue et même leur *écœurement* — terme qu'ils utilisaient devant ce problème de plus en plus envahissant.

Que devons-nous comprendre lorsqu'un ami, perdu de vue depuis presque un an, me rencontre et me parle d'entrée de jeu des femmes qui se détruisent dans son milieu de travail ? Ce très bon ami, d'un tempérament calme et détaché, est habituellement au-dessus de tout. Rien ne l'affecte. Il compte parmi les rares travailleurs qui, dès que sonne dix-sept heures, réussissent à refermer la porte de leur bureau en laissant derrière eux les soucis de la journée. Quelle surprise de l'entendre me raconter ses histoires, mais davantage de le voir bouleversé par ce phénomène. Durant le partage de ses observations, cet anglophone m'a répété régulièrement le mot *bitchage*. J'ai réalisé que cette pratique est présente partout et que son appellation est la même peu importe la langue. J'écoutais et je réfléchissais tout à la fois. Je ressentais son soulagement de pouvoir enfin se libérer de ce poids qui lui pesait sur les épaules.

Il me raconta qu'un jour, au travail, une collègue entra dans son bureau pour lui remettre sa démission. C'était la troisième fois, en l'espace d'un mois, qu'elle la remettait, revenant sans cesse sur sa décision. Elle allégeait ses semaines de travail par des journées de congé. Dans un cercle vicieux de *bitchage*, cette femme se plaignait d'autres collègues féminines qui, à leur tour, se plaignaient d'elle. Cela créait une atmosphère de travail insupportable pour tous, bien sûr, mais également une perte de temps et d'énergie non constructive pour l'employeur et son entreprise. Le « feu était pris » dans le bureau, et ces femmes, probablement inconsciemment — aveuglées par leurs émotions trop intenses —, se donnaient en spectacle par des crises de larmes, des prises de bec ou encore se muraient dans un silence imprégné de colère qui durait des jours. « On se croirait dans une garderie », me dit-il. Je le fixais, estomaquée, j'étais bouche bée et… inquiète. Malgré les années écoulées depuis mes propres expériences, rien n'avait changé dans le monde du travail, bien au contraire. Le processus de destruction entre femmes s'était accentué, frisant même la folie.

La semaine suivant cet aveu de mon ami, je reçus un appel d'une copine qui me tint le même discours. Elle passa une bonne heure à me raconter les misères que le *bitchage* provoquait à son bureau, le scénario demeurant toujours le même : les femmes s'érigeant les unes contre les autres. Dans ce cas-ci, puisque l'équipe de travail était plus grande, de petits groupes et des sous-groupes féminins se formèrent, incitant chacune des employées à choisir son clan. Dans mon esprit,

j'associai aussitôt ce comportement à ceux des *gangs de rue*.
Ma copine était exténuée, vannée et, bien qu'elle ne fût mêlée
à aucun groupe, elle souffrait de la situation, car elle n'osait
parler à quiconque de peur de blesser ou, pire, d'être identifiée
à un clan. « Tout le monde marche sur des œufs. Les hommes
regardent ces scènes minables et ne savent plus à quel saint se
vouer pour cesser cette dégénérescence de la conscience féminine. Il me semble que cela leur donne un certain pouvoir sur
nous, car nous nous ridiculisons avec nos médisances », me
confia-t-elle.

Quelque temps plus tard, un autre ami vint me rendre visite
et, après une bonne heure de travail à mettre nos dossiers à
jour concernant notre vie et son évolution, nous abordons le
changement de carrière d'une de ses très bonnes amies. Et le
scénario continue… Cette dame a un nouvel emploi depuis un
mois et commence à souffrir des affres de la jalousie de la part
de l'équipe. Les femmes parlent d'elle dans son dos et lui font
vivre les tourments de l'âme. Son boulot, qu'elle adorait, commence à la faire souffrir. Le matin, elle s'y rend avec moins
d'enthousiasme et elle doit surveiller ses paroles et ses gestes
pour ne pas attiser davantage les braises chaudes sur lesquelles
elle marche. Je partage avec mon ami les deux témoignages
entendus quelques semaines plus tôt, ce qui donne lieu à une
longue discussion sur le *bitchage*.

Spontanément, je lui exprime ma déception de constater
que rien n'a changé depuis ma première expérience de
bitchage au travail. *A contrario!* D'après ce que j'entends, le
phénomène devient presque une épidémie. Je suis inquiète.
Avec les données que je possède, mes réflexions m'entraînent
à considérer un avenir triste et alarmant pour les carrières
féminines. Si plus personne ne peut supporter nos guerres
féminines, qu'adviendra-t-il de notre avenir professionnel?

Comme par un effet d'enchaînement, d'autres informations sur le sujet parvinrent jusqu'à moi. Avant le début de cette saga, mes préoccupations et mes intérêts étaient à mille lieues de ces considérations, car, depuis de nombreuses années, je m'étais complètement libérée de mes expériences professionnelles dévastatrices et je demeurais en paix. Bien que mes deux derniers contrats aient porté le sceau *bitchage* et que j'aie été ébranlée jusque dans mon ADN, ma confiance en moi m'avait amenée bien au-delà de ces erreurs de parcours. Pourtant, les rencontres amicales des dernières semaines me plaçaient devant l'urgence d'agir… mais quel geste pouvais-je poser? Que faire contre ce système féminin destructeur?

Pendant plusieurs semaines, un goût âcre s'insinua en moi. À travers les discussions avec mon conjoint, j'appris à ma grande surprise que, lui aussi, à l'époque où il était directeur général d'une association, avait été pris à témoin dans un conflit féminin. Arrivé à une impasse, il effectua des recherches auprès de collègues afin de trouver une manière juste de trancher en faveur d'une femme ou d'un groupe… Voilà donc une autre personne qui a été aux prises avec le phénomène du *bitchage*. À la question : « Qui n'a pas souffert, d'une façon ou d'une autre, du *bitchage*? », la seule réponse qui me vint à l'esprit fut suffisamment grave pour m'alarmer.

Un mois plus tard, la solution me frappa de plein fouet, un matin à mon réveil. J'allais donner des conférences dans les entreprises pour sensibiliser les gens à ce grave problème qui dégénère en plus d'écrire un ouvrage sur le sujet. Difficile, désormais, de fermer les yeux et de faire semblant que cette situation n'existe pas. La sonnette d'alarme a retenti. Les femmes doivent cesser de se détruire, de se *bitcher*, car nombreuses sont les personnes qui en souffrent : celles qui *bitchent*, celles qui sont *bitchées* et les témoins du *bitchage*.

RAISONS ET ARGUMENTS

Nous sommes en droit de nous questionner sur les raisons d'un tel comportement dévastateur! Même si nous avons commencé à murmurer que certains hommes *bitchent*, lors d'une conférence donnée sur le sujet, les femmes répondent que ce phénomène est attribué à l'univers féminin et personne ne semble s'en offusquer. À la fin de ma présentation, plusieurs participantes m'ont avoué que c'était plus fort qu'elles d'initier ou d'encourager les commentaires dans le dos d'une autre femme. Selon leur point de vue, cette envie découle de la nécessité de déverser un trop-plein et de libérer des frustrations. « Nous avons besoin d'évacuer, de ventiler », disaient-elles.

Pourquoi les hommes le font-ils différemment? Selon certains commentaires, les hommes, de manière générale, favorisent les relations directes pour régler un conflit. Ils s'adressent aux principaux concernés et expriment simplement ce qui ne va pas. Les discussions sont brèves, ne traînent pas en longueur et ne se déploient pas dans les émotions, la fabulation et le drame. Aucun dossier n'est monté et les erreurs d'un collègue ne semblent pas s'accumuler. Ils règlent les problèmes au jour le jour et, une fois les conflits exprimés, ils passent à autre chose. C'est du cas par cas. Les échanges sont directs, parfois trop peut-être, mais les résultats sont tout de même concluants. Alors, qu'est-ce qui empêche une femme d'adopter une attitude inspirée de cette manière de procéder? Pourquoi ne pourrions-nous pas régler un malaise, un désaccord ou gérer un conflit en toute honnêteté, seule à seule, sans au préalable faire le tour du bureau avec différents scénarios dégradants? Au même titre, pourquoi déléguer une tierce personne pour effectuer le sale boulot de rapporter les ragots… et quoi encore?

En me concentrant sur les motivations qui poussent les femmes à agir très souvent sans discernement, certaines raisons me sont apparues comme des éléments de vérité. Inspirées du témoignage « Guerre à finir », certaines évidences et observations toutes simples se sont imposées à moi. Lorsque je pense à Monique, du groupe-conseils, je m'interroge : « Qu'est-ce qui a initié un tel comportement envers Judith ? » Certes, il y a *Monique*, mais je parle également d'une Louise, d'une Johanne, d'une Suzanne, d'une Dominique, d'une Lucie, d'une Andrée, et j'en passe. Nous avons toutes, malheureusement, croisé ou entendu parler d'une femme qui était prête à tout pour arriver à ses fins ! Prête à faire congédier, prête à coucher avec le mari de l'ennemie, prête à monter un groupe de femmes contre sa proie. On s'entend sur le terme « prête à tout »…

Voici donc quelques pistes qui ont orienté mes recherches.

Mythomanie

Qui n'a pas utilisé, un jour ou l'autre, un petit mensonge bénin pour se sortir d'une situation fâcheuse ? Qui n'a pas fait passer une erreur sur le dos d'une collègue absente, pensant que les retombées seraient sans conséquence ? Peu d'entre nous, évidemment. Ma grand-mère qualifiait ces écarts de conduite de « mensonges pieux », et cela pardonnait toute faute commise. Mais, lorsque ce comportement risque d'entacher la réputation d'une collègue, cela devient dangereux. « Une fois n'est pas coutume », dira-t-on ? Et c'est souvent vrai, sauf que le danger est d'y prendre plaisir lorsque l'on constate que les conséquences sont minimes.

Plusieurs, parmi nous, ont observé les techniques habiles du *bitchage* dont le but premier est de valoriser l'utilisatrice. Lorsque l'idée première est de mentir ou de déprécier le travail d'une collègue afin de se mettre soi-même en valeur, de se rehausser et d'attirer l'attention sur soi, il s'agit de mythomanie bénigne (la mythomanie étant une tendance anormale d'inventer des faits).

Pourtant, le danger est réel de verser dans l'abus en raison de cette facilité à transformer la réalité. Car la satisfaction ressentie lorsque le but est atteint demeure l'obtention de grâces de toutes sortes. Cette mythomanie perverse emprunte moult visages, passant de la rédaction de courriels diffamants à la création de rumeurs qui ne trouvent leur aboutissement que dans la destruction de la réputation d'autrui. Mais que se cache-t-il derrière les mythomanes ?

Mal dans sa peau

En analysant, entre autres, les comportements de Monique, dans le témoignage « Guerre à finir », la première chose qui m'a frappée, c'était son malaise intérieur. Puisque Monique travaillait avec son conjoint dans le même bureau, Judith avait observé la dynamique du couple. Le tempérament effacé du mari laissait transparaître au premier coup d'œil — même pour les moins avertis — que Monique était une vraie *Germaine* (celle qui « gère » et qui « mène »). Enivrée et habituée à un tel contrôle que son mari lui laissait exercer, *Germaine* s'emballait et ses actions devenaient démesurées lorsqu'elle rencontrait une certaine résistance. Ainsi, sa rage se lisait dans son regard lorsque Judith ne s'exécutait pas au quart de tour devant ses tapements de pieds, devant ses impatiences ou son « air bête » qui tentait d'intimider ; le genre de regard dont le seul objectif est d'induire la stupidité chez l'interlocuteur. Nous avons toutes vécu une telle situation à un moment ou un autre de notre vie, ici nous n'inventons rien.

Nos expériences, nos rencontres et nos connaissances se ressemblent. Qui n'a pas rencontré une femme dont la haine dirigée contre nous nous a rendues soudain niaises et sans ressource? Au cours de certains échanges, à la fin de mes conférences sur le sujet, plusieurs témoignent de cet état de fait. Si bien que je leur mentionne invariablement : « L'autre a le pouvoir que nous lui octroyons. Personne ne peut nous faire sentir stupides si nous-mêmes ne nous percevons pas comme étant stupides. » Facile à dire mais difficile à mettre en pratique, c'est vrai.

Les tentatives d'intimidation de Monique ne trouvaient aucun écho chez Judith, ce qui décupla sa haine. Son immense besoin de contrôle relevait directement de son malaise, de son inconfort. D'un côté, ses aspirations et ses ambitions immenses, voire sans limites, la laissaient amère devant un conjoint sans force de caractère pour lui tenir tête. Son immense besoin de contrôler l'avait dirigée vers cet homme, alors qu'elle aurait eu besoin, pour évoluer et grandir, d'un homme avec beaucoup plus de caractère, justement pour lui tenir tête, pour qu'elle devienne une femme et délaisse son côté d'enfant gâtée. D'un autre côté, son besoin de régner et de siéger au sein d'une multinationale ne pouvait s'exprimer que partiellement, considérant la taille modeste de l'entreprise où elle travaillait, ce qui nuisait grandement à son image.

Les analyses de Judith appuyaient le fait que Monique éprouvait des malaises dans sa vie privée et professionnelle, et c'est Judith qui a écopé du mal de vivre de Monique. Lorsque nous vivons des blessures intérieures, il arrive de déverser notre trop-plein sur l'autre, sans discernement. Dans ce cas précis, Monique avait déjà effectué son travail de démolition sur un homme doux et conciliant. Afin d'ajouter un peu de piquant à ses journées, elle devait choisir une autre personne avec du caractère, ce qui lui procurait, en quelque sorte, un *challenge*. Ne nous méprenons pas ! Contrairement à la croyance populaire, les femmes frustrées de cette trempe ne s'attaquent pas nécessairement aux femmes douces et sans défense, au contraire. Ces bourreaux adorent ressentir de la résistance durant le processus de démolition de leur proie, avant de les anéantir. L'image qui me vient est celle du chat et de la souris. Il peut jouer très longtemps avant de la laisser pour morte. Et, bien souvent, il la laisse se languir et, ensuite, s'éteindre seule.

Manque de confiance en soi

C'est connu, être mal dans sa peau est synonyme de manque de confiance en soi. Et cette condition a forcément des répercussions sur l'autre personne. Pourtant, il s'agit de deux problématiques assez différentes. J'ai connu des femmes qui parvenaient à être bien dans leur peau, mais n'avaient que très peu de confiance en elle. La confiance en soi est un sentiment ressenti dans une sphère de la vie. Par exemple, une femme peut éprouver une confiance sans bornes quant à l'éducation qu'elle offre à ses enfants, mais être complètement démunie sur le plan professionnel. Ou, encore, une personne peut se percevoir strictement comme une professionnelle, mais de retour à la maison, se laisser envahir par la jalousie amoureuse.

Évidemment, la confiance en soi peut être segmentée, alors qu'être mal dans sa peau est un état qui a des répercussions dans tous les domaines de notre vie. Il est difficile d'imaginer être mal dans sa peau à la maison et complètement en harmonie au travail. « Être mal dans sa peau » est une expression très explicite : elle dit bien… « dans sa peau ». Je ne peux concevoir que nous changions de « peau » selon l'endroit que nous fréquentons. Par contre, il est fort possible que nous soyons plus à l'aise dans un endroit que dans un autre.

Le manque de confiance en soi est perceptible, car il se manifeste de plusieurs façons. Une personne peut s'effacer, s'écraser et demeurer en retrait, attendant patiemment son tour dans la vie, et ce, de manière générale. Le pire des scénarios pour l'entourage, c'est lorsque la principale intéressée écrase les autres pour tenter de s'élever, de se grandir, de se valoriser à ses yeux ou aux yeux de ses pairs. Dès lors, tous les coups, même les plus bas, lui sont permis. Ici, nous faisons forcément référence aux mythomanes.

La professionnelle qui carbure à coups de gratitude, de reconnaissance et de compliments, parce qu'incapable de se valoriser elle-même, se lancera dans une campagne de salissage sans merci afin de dénigrer les compétences de ses collègues. La personnalité de ses proies sera démolie, la vie privée, attaquée, et j'en passe. Rien ne sera épargné pour qu'une femme de ce type se sente, ne serait-ce qu'une journée, supérieure au groupe. Dans ce cas précis, une chose à faire est de reconnaître ce genre de femme dont la confiance est minée, de s'en tenir loin, si possible, ou de s'en protéger. La technique du miroir fonctionne assez bien. Il suffit de visualiser un écran devant soi afin que les commentaires négatifs ne nous atteignent pas. Nous pouvons trouver nos propres moyens pour tendre vers une forme d'insensibilité devant les remarques désobligeantes. Et si cela persiste, allons discuter directement avec la personne concernée pour lui exposer clairement notre désir de ne plus recevoir de commentaires négatifs de sa part.

Souvent, le découragement monte en moi lorsque j'observe l'acharnement de certaines femmes à écraser les autres, comment elles parviennent à discréditer leur entourage, à ne reconnaître aucune qualité à qui que ce soit. Celles qui critiquent, jugent, méprisent, diminuent (et plusieurs hommes n'échappent pas à ce mécanisme malsain : on parle ici des manipulateurs), devraient assurément se questionner. N'oublions pas qu'une femme qui a confiance en elle-même ne cherche pas à détruire, car elle ne se sent ni menacée, ni agressée, ni diminuée par qui que ce soit.

Apprentissage à la dure

Dans le témoignage précédent, « Gestion sans expérience », Andréa, à l'origine du congédiement de Mireille, lui avait dit un jour : « Je ne me sens pas à l'aise de te mentionner les erreurs que tu fais. Moi, lorsque je commettais des bévues, Colette ne se gênait pas pour me le dire. Et maintenant, je sais exactement comment faire. » Certes, nous reconnaissons tous qu'il existe une façon d'exprimer les choses, mais, dans ce cas précis, il semble que cet apprentissage n'ait pas vraiment eu lieu. La volonté d'Andréa de bien faire son travail, son stress extrême de performance et son manque d'expérience dans la gestion de personnel la rendaient plutôt insensible aux autres qui avaient été écorchés. En disant : « Colette ne se gênait pas pour me le dire… », elle communiquait du même coup qu'elle avait appris à la dure comment fonctionner avec les autres. Elle allait donc servir à Mireille la même cuisine.

Manquons-nous d'intelligence, de sensibilité ou des deux ? Sommes-nous des perroquets pour répéter les erreurs qui ont été commises contre nous, sans jamais nous questionner ? Est-ce un travail à la chaîne ? À quelle souffrance intérieure ce comportement fait-il référence ? Reproduisons-nous ce que nous avons subi ?

Dans ce genre d'emploi, le domaine des communications, de toute évidence, la créativité aurait dû y trouver sa place. Malheureusement, Andréa a décidé que les tâches doivent être exécutées de la même manière qu'elles ont été enseignées, tant et si bien que les successeurs n'ont rien à dire. Aucune erreur n'est permise, donc aucun changement possible, aucune amélioration souhaitée ne peuvent survenir.

Pourtant, l'arrivée de cette jeune directrice aurait pu être très bénéfique pour l'organisme. Grâce à une nouvelle vision et un vent de renouveau, la gestion du personnel aurait pu être repensée avec plus de souplesse et d'ouverture, ce qui aurait permis d'exploiter les forces de chacune dans l'équipe. Par contre, l'insécurité d'Andréa, combinée à sa personnalité rigide, a fait d'elle une gestionnaire dure à l'esprit fermé, ce qui, à court ou à long terme, a détruit la possibilité d'une harmonie au sein de son équipe en raison des frustrations et de l'écrasement de ses employées. Cette directrice a transféré son insécurité sur les membres de son personnel.

En insécurisant Lisette, son adjointe, pour que cette dernière se range de son côté (de peur de perdre son emploi ou pour créer un clan), Andréa lui a simplement indiqué qu'elle avait davantage à gagner à être de son côté plutôt que du côté de Mireille. Comment une gestionnaire peut-elle se permettre de créer elle-même des clans? Il est clair que l'idée de terroriser l'autre fonctionne encore aujourd'hui. De son côté, Lisette, avec sa propension pour le *bitchage*, a sauté à pieds joints dans la « légalité » du commérage, même avec le peu d'information qu'elle détenait. Elle n'a jamais pensé qu'il serait peu probable qu'Andréa se passe de ses services, même si elle gardait le silence sur ce qu'elle « percevait » autour d'elle. Depuis le nombre d'années qu'elle travaillait au sein de l'organisme, Lisette connaissait toutes les tâches à l'interne. Elle était ainsi devenue indispensable en quelque sorte.

Différents types de jalousie

Personne ne s'étonnera d'apprendre que, la plupart du temps, la jalousie — spécialité des femmes entre elles — est à l'origine du *bitchage*. Lorsque la jalousie dépasse les bornes, cela devient carrément de l'envie, et cet univers représente un extrême danger. Le sentiment de frustration devant le bonheur d'autrui donne naissance à l'envie. La frustration n'apporte rien de positif, sinon de mettre en lumière l'inconfort qui réside en nous. Si nous désirons remédier à cette situation de malaise et d'insatisfaction, libre à nous de le faire. Je nous encourage à le faire. De manière générale, notre prise en charge de la situation devrait atténuer la jalousie et, par le fait même, nous éviter de déverser dans l'envie. En clair, il est recommandé de comprendre les raisons de notre jalousie, qui émane de nos maux intérieurs, afin de travailler sur nous. Évidemment, plus nous apaisons nos malaises, nos malheurs et notre mal de vivre, plus nous devenons épanouies, heureuses. Ainsi, le sentiment de frustration s'accroche de moins en moins à notre existence.

Lorsque nous regardons au fond de nous-mêmes, nous nous apercevons que nos jugements nous rongent. Pourtant, avant de ne plus porter de jugement sévère sur nous-mêmes, avant de mettre un terme à nos facilités de tomber dans la comparaison, bon nombre d'années de souffrance s'écoulent. Durant tout ce temps, avons-nous cru bon de réparer les points sensibles en nous que la jalousie animait au lieu de frapper sur toutes celles qui gravitent autour de nous?

• *Apparence physique : « Elle est plus belle que moi »*

Reconnaissons que nous avons très peu de pouvoir sur notre physionomie. Certes, certains vêtements nous avantagent selon notre silhouette; une coupe de cheveux plus personnalisée s'harmonise mieux avec notre physionomie; et autres. Mais, en dehors de ces ressources extérieures, nous devons vivre avec ce que la nature nous a offert. Si notre apparence physique dérange une collègue, que pouvons-nous y faire?

Malheureusement rien. Même après des recherches intensives pour imaginer des solutions qui permettraient de contourner le problème, je rends les armes devant l'impasse.

Voici un exemple concret. En plus de la problématique générale exposée dans le témoignage « Guerre à finir », Monique nourrissait cette forme de jalousie pour Judith, car physiquement, selon ses critères, elle représentait une certaine menace. Pourtant, Monique possédait une beauté naturelle : des cheveux bouclés, une silhouette filiforme. Elle n'avait pas à prendre ombrage de personne. À première vue, sa beauté faisait envie, mais à partir du moment où l'on commençait à la fréquenter, son malaise intérieur accentuait les rides de son visage, ses lèvres se pinçaient, puis ses gestes, très peu harmonieux, la rendaient quelconque après seulement quelques semaines de fréquentation. Après quelques mois, on en venait à la trouver carrément laide. L'énergie négative qui émanait de cette femme n'avait aucun lien avec la grâce et la légèreté qui auraient dû transparaître de son apparence physique.

Après la remise de la démission de Judith, un drôle de phénomène se produisit. Le malaise de Judith en présence d'autres femmes s'est accentué. Inconsciemment, elle choisissait des vêtements qui risquaient de ne pas déranger et ainsi de ne pas faire de vagues dans son entourage. Lorsqu'elle avait des rendez-vous, elle s'informait du sexe de l'interviewer et portait des vêtements et une coiffure en conséquence. Si elle rencontrait une femme, inutile de dire qu'elle évitait les jupes au-dessus des genoux, les cheveux remontés et même les tailleurs noirs où l'élégance et la grâce sont à l'honneur. Judith devenait presque moche afin de fuir la jalousie et l'envie des autres. Elle adaptait sa personnalité selon qu'elle était en présence d'hommes ou de femmes. Sans l'ombre d'un doute, cette métamorphose a miné sa confiance en elle, effaçant l'éclat naturel de sa personnalité, sa facilité d'expression orale innée, sa joie de vivre, son sens de l'humour arrosé d'une touche de folie. En présence des femmes, elle était sur la défensive.

Au-delà de tous les efforts de Judith pour éviter de perturber son entourage féminin, l'idée lui vint également de tenter de ne pas attirer les hommes. Elle réussit tant bien que mal à se rendre moins intéressante en gardant plus souvent le silence pour ne rien provoquer. Malgré sa bonne volonté, elle croisait tout de même sur sa route des gens pour qui sa simple présence dérangeait, même si elle avait choisi de passer inaperçue. Elle n'est pas parvenue à s'effacer totalement, à écraser suffisamment sa personnalité et à éteindre son éclat. Par contre, elle connaît pertinemment la raison qui la pousse aujourd'hui à choisir de briller de tous ses feux, et personne ne peut l'arrêter.

Ce témoignage me fait penser au copain qui me parlait du *bitchage* dans son bureau. Il me répéta les propos de sa collègue : « T'as vu comment elle s'habille, elle veut charmer le patron. » Tout est dans la perception. Je ne crois pas que sa collègue se rendait au bureau en déshabillé, en robe de soirée ou en cuir moulant. Par contre, si sa collègue avait de belles jambes, par exemple, pourquoi n'aurait-elle pas eu le droit de porter une robe un peu plus courte ? Ou si elle était fière de sa poitrine, pourquoi n'aurait-elle pas eu le droit de porter un décolleté ?

Qui sommes-nous pour dicter l'habillement des autres ? Si nous sommes bien dans notre peau, pourquoi les vêtements d'une autre femme pourraient-ils nous déranger ? À moins d'être nous-mêmes attirées par le patron, en quoi ce jeu de séduction nous dérangerait-il ?

En principe, nous sommes au bureau pour travailler et non pour analyser la tenue vestimentaire de nos collègues féminines. Sommes-nous aussi sévères envers les hommes ? Lors de mes conférences, je propose d'emblée aux participants de se poser deux questions avant de s'enliser dans des sentiments négatifs ou d'émettre des propos mesquins : « Est-ce que cela affecte mon travail ? Suis-je moins productive ? » Une simple réponse à ces interrogations nous empêchera de nous lancer dans une campagne de salissage que nous regretterons, de toute manière.

Si, en effet, nous sommes attirées par notre supérieur — ce qui n'est pas impossible —, tentons de savoir si nous ne fuyons pas un malaise amoureux ou sexuel à la maison. Est-ce vraiment notre type d'homme ? Est-ce simplement pour qu'il fasse preuve de favoritisme envers nous plutôt qu'envers notre collègue ? On parle ici de la fameuse compétition féminine pour gagner un homme…

Dans le cas où nous sommes sérieusement amoureuse de notre patron, si ce dernier préfère la charmeuse, c'est qu'il ne nous mérite pas. Il est préférable, d'ailleurs, que nous le sachions tout de suite. S'il se laisse prendre au jeu de l'apparence physique, y pouvons-nous quelque chose ? Les sentiments amoureux, pas plus que l'attirance physique, ne s'achètent. Il existe des lois naturelles d'attraction contre lesquelles nous sommes tous impuissants. Sachons, à tout le moins, nous retirer simplement de cette délicate situation. Si le destin doit unir deux individus, cela aura lieu sans que nous ayons à forcer la rencontre. Lorsque nous l'assujettissons à nos désirs, alors les problèmes se pointent rapidement.

Je me souviens d'une collègue, lorsque j'occupais les fonctions d'éducatrice dans une garderie, qui portait des jupes et des *shorts* tellement courts qu'elle laissait entrevoir le début de ses fesses. Talons aiguilles, maquillée à souhait, personne ne pouvait prétendre qu'elle travaillait dans une garderie, mais plutôt dans un bar. Au cœur même d'un mariage malheureux, elle recherchait une nouvelle flamme auprès des pères des enfants de son groupe. Malgré notre empathie pour son problème, nous étions impuissantes à l'aider. Quant à moi, j'éprouvais pour cette collègue très gentille et particulièrement compétente avec les enfants beaucoup de sympathie et de compréhension.

Certaines étaient indignées de sa tenue vestimentaire, alors que d'autres trouvaient cela simplement farfelu. Puis, les mois ont passé, les années et, finalement, une nouvelle directrice de la garderie a établi des règles différentes quant à la tenue vestimentaire du personnel.

Cette expérience ramène en moi le souvenir des femmes frustrées et mal dans leur peau qui tempêtaient contre une collègue alors que les femmes heureuses et en harmonie avec elles-mêmes n'y attachaient aucune importance. Du moment qu'elle faisait son travail correctement, le reste importait peu.

Jalousie… J'y reviens de nouveau, car le sujet est capital. Lorsque nous ressentons de la jalousie et de l'envie, est-ce que nous pouvons nous poser ces questions : « Quel point sensible cela touche-t-il en moi ? Ai-je raison de ressentir de la jalousie ? Où sont mes forces, mes faiblesses ? Qu'est-ce qui me dérange tant ? » Déjà, les réponses à ces questions devraient permettre une nouvelle ouverture d'esprit et désamorcer le processus insidieux de détruire pour se valoriser. S'acharner sur une femme à cause de sa beauté ou de sa taille enviable ne se classe absolument pas parmi les attitudes intelligentes et constructives à utiliser. Ne perdons jamais de vue que, si nous éprouvons des complexes à propos de notre corps, ce n'est la faute de personne. Deux solutions se présentent à nous pour atténuer ce problème : nous prenons les mesures nécessaires pour modifier ce qui nous déplaît (dans la mesure du possible), sinon nous apprenons peu à peu à accepter et à aimer notre corps.

- *Professionnelle : « Je veux son poste »*

Cette forme de jalousie est moins fréquente, mais elle existe tout de même et elle est très dangereuse, car elle mène toujours à un congédiement, mais pas nécessairement dans le sens souhaité.

* * *

Une vraie rage de dents !

L'histoire de Thérèse

Je venais d'être nommée chef de pupitre pour un nouveau quotidien, et on m'avait chargée de former les journalistes débutants qui devaient apprendre à faire le montage infographique de leurs articles. Toute l'équipe était soumise à un entraînement rigoureux pour sortir le premier numéro dans un temps record. Une des journalistes (la plus âgée) se plaignait continuellement de la lourdeur des tâches, des horaires chargés, des repas pris devant l'ordinateur.

Je m'employai alors à demander à la direction que l'on accorde une pause lunch et une pause café en dehors de la salle de rédaction. Issues du même milieu des communications, nous avions développé une certaine sympathie. Cette journaliste me parlait de ses problèmes financiers, de son conjoint sans emploi, de l'urgence de se faire soigner les dents, et bien d'autres. Elle me racontait quels problèmes elle avait éprouvés en travaillant dans telle station de radio et avec telle journaliste, tel directeur, toujours dans des propos acerbes nourrissant de vieilles rancunes.

Elle développait une attitude hostile envers le rédacteur en chef, l'accusant d'être trop jeune et incompétent (ce en quoi elle avait un peu raison). Tous les jours, systématiquement, elle demandait à quelle date précise les journalistes bénéficieraient de l'assurance pour soins dentaires. Et à quand les vacances? et l'augmentation de salaire?

En contrepartie, j'avais noté chez elle un manque de rigueur en rédaction et dans le traitement de l'actualité internationale. Comme elle prétendait avoir beaucoup d'expérience en journalisme, je me suis dit que, avec un peu de coaching en orthographe et en géopolitique (l'abc du métier, comme pour tous les membres de l'équipe), j'allègerais son fardeau et je la ferais changer d'attitude.

La direction ayant eu vent de ses nombreuses récriminations, on me demanda d'évaluer chaque journaliste… et en particulier la *bitcheuse*. Convaincue que sa période de stress (ou de panique) était passée, j'estimais qu'elle deviendrait une bonne acquisition pour le journal, qu'elle finirait par s'adapter comme les autres à la nouvelle technologie. D'ailleurs, je ne manquais pas une occasion de la rassurer, de lui donner confiance en ses moyens et, subtilement, de lui faire comprendre qu'elle devait mettre ses critiques en veilleuse. En revanche, comme une obsédée, elle menaçait de faire signer une pétition pour obtenir réponse à ses questions : la date précise de la mise en vigueur des avantages sociaux (médicaux et dentaires) et la période des vacances.

Ce qui devait arriver arriva. Malgré mon plaidoyer en sa faveur, elle fut remerciée de ses services. Quelques semaines plus tard, épuisée par les horaires doubles que j'avais dû m'imposer faute de correcteur d'épreuves, je dus me résigner à donner ma démission. C'est en faisant part de ma décision à la direction que celle-ci m'apprit que la journaliste que j'avais tenté de « protéger » avait monté une cabale pour obtenir mon congédiement pour « incompétence » et être promue à mon poste. On me dit que c'était justement une des raisons pour lesquelles elle avait été congédiée!

—T. R.

* * *

Malheureusement, ce témoignage ne représente pas un cas isolé. N'est-ce pas désolant de devoir toujours nous méfier de nos collègues? Avec de tels enjeux suspendus au-dessus de nos têtes comme une épée de Damoclès, comment pouvons-nous demeurer créatives, compétentes et sereines? Dans ce cas précis, il n'est pas rare de constater que celles que nous tentons d'aider ou de sauver risquent, le moment venu, de nous anéantir aux yeux de tous sans aucune autre forme de procès. Parler sans cesse en mal et dénigrer sans retenue ne font que nourrir davantage la haine. Ne croyons pas que le fait de cracher encore et toujours notre venin fera en sorte qu'un jour nous serons libérées de nos malaises ou de nos sources d'intolérance.

● **Abus de pouvoir : « C'est moi qui décide »**

En fait, l'histoire d'Andréa, dans le témoignage « Gestion sans expérience », reflète exactement la problématique de l'abus de pouvoir. Après le départ de Colette, Andréa a pu retrouver le contrôle parfait du bureau sans subir de regards critiques sur ses faits et gestes. Elle a ébranlé l'équilibre précaire de l'équipe en mettant d'abord Lisette de son côté, puis en congédiant Mireille afin de bien marquer son territoire et de faire comprendre qu'« elle » menait le bal.

Le message envoyé semblait très clair : « Si vous ne marchez pas comme je le veux, voici ce qui vous arrivera. J'ai le contrôle, l'entière responsabilité du bureau, le plein pouvoir d'embaucher et de congédier qui je veux. » Pas besoin de chercher midi à quatorze heures pour comprendre le processus d'intimidation dont Andréa a fait preuve. Les vingt années d'expérience de Mireille dans le domaine des communications et sa personnalité, plus souple et ouverte, ne cadraient pas avec la rigidité d'Andréa et sa manière de travailler. Si bien que son tempérament, quasi fermé aux nouveautés, a empêché Mireille de travailler différemment et de démontrer ses compétences et ses forces qui auraient pu servir à l'entreprise.

Nous constatons que l'abus de pouvoir est énorme. Il débute par de l'intimidation et passe par le contrôle, avec cette volonté d'affaiblir l'adversaire. Si la mégère n'a pas réussi à ébranler la proie désormais soumise, alors le dernier coup de grâce est donné par le congédiement.

Il n'est pas rare d'observer des femmes gestionnaires prendre des décisions parfois farfelues ou simplement insensées, ne serait-ce qu'avec un coup de poing sur la table, si bien que nous croyons les entendre dire : « C'est moi qui mène et qui décide. » Au cœur d'un tel scénario, il est souvent inutile de tenter une discussion ou un échange intelligent, car la seule motivation de base pour ces gestionnaires « survoltées », c'est d'imposer leurs idées et de ne considérer rien d'autre autour.

Rendus à ce point, nous parlons d'intimidation et, dans certains cas, de harcèlement psychologique. Il y aura plus loin deux témoignages, « Viol psychologique » et « Harcèlement psychologique et congédiement », qui, entre autres, illustrent à merveille cette problématique.

- ### Intellectuelle : « Elle est stupide »

Qui n'a pas rêvé de posséder les connaissances ou l'intelligence d'un de ses pairs ? Quand ce désir n'est pas guidé par une inconscience négative, il devient une source d'inspiration.

Le sujet est perçu comme un modèle à suivre ou un objectif à atteindre. Au cours de mon jeune âge, j'observais des femmes autour de moi et je me créais des buts à atteindre qui me rapprocheraient des idéaux qu'elles représentaient à mes yeux. Encore aujourd'hui, je puise mon inspiration et ma volonté d'atteindre certains objectifs professionnels et intellectuels à travers le parcours de plusieurs créatrices dans des domaines variés. Il s'agit, pour moi, d'une des nombreuses façons de cheminer et d'évoluer.

Observer des gens avec des aptitudes et des compétences supérieures aux nôtres est tout à fait normal. Mais qu'arrive-t-il lorsque ces observations nous confrontent à un sentiment d'infériorité, de malaise? Si la confiance en soi est très fragile et incertaine, alors il sera facile de se sentir médiocre et de ressentir le besoin d'écraser pour s'élever, pour se valoriser. Qu'une collègue soit titulaire d'un baccalauréat, d'une maîtrise et d'un doctorat n'enlève rien à nos connaissances et à nos expériences professionnelles.

Il est important de comprendre que les acquis intellectuels d'un individu ne se soustraient pas aux nôtres. Cette affirmation semble inutile, pourtant, soyons franches... Plusieurs d'entre nous se sont senties « stupides », un jour ou l'autre, devant une collègue, n'est-ce pas? Il est important de faire le bilan de nos forces et de nos faiblesses pour revenir à nos valeurs tant professionnelles que personnelles et réaliser ainsi la qualité de nos compétences et de notre savoir qui, certes, diffèrent des autres mais ne sont pas forcément de moindre valeur.

Lorsque le sentiment d'infériorité persiste, c'est à ce moment que nous ressentons la nécessité d'écraser l'autre pour faire valoir nos propres compétences. Il m'est arrivé souvent d'observer des femmes qui sabotaient volontairement le travail d'autres femmes pour démontrer aux membres de la direction qu'elles étaient meilleures. Nous revenons à la mythomanie. D'ailleurs, qui n'a pas observé, dans des réunions où les « couteaux volaient bas », que le seul but à atteindre était de ridiculiser l'autre par des critiques et des commentaires virulents pour se faire justice ? Jeu nuisible dont les conséquences peuvent être désastreuses.

J'avais une amie très gentille. Malheureusement, sa seconde nature était d'écraser tout le monde dans son entourage. Elle n'attribuait la cote « intelligente » qu'à un petit groupe d'élus qui, lorsque l'on y regardait de plus près, ne représentait aucune menace pour elle. Elle passait les autres à tabac et se présentait elle-même comme un modèle à suivre. Cette amie était l'exemple parfait de celle qui écrase pour mieux se mettre en valeur. Lorsqu'une personne en arrive à *bitcher* pour obtenir quelque crédit que ce soit, n'est-ce pas là une preuve, offerte sur un plateau d'argent, qu'elle se sent inférieure ? N'est-ce pas aussi par le transfert de sa propre faiblesse sur les autres qu'elle récupère quelque sentiment vague de valoir quelque chose ?

Avons-nous déjà pris le temps de nous arrêter, non seulement pour remettre en question la loyauté de nos actions, mais également pour tenter, ne serait-ce qu'une seconde, de nous questionner sur la perception qu'a notre entourage de nos comportements ? Sommes-nous conscientes que, en plus de nos collègues, le commun des mortels trouve ces manigances insupportables et commence à l'exprimer de plus en plus à voix haute ? Et que nos plaintes, nos *games*, nos coups montés et nos doléances trouvent de moins en moins d'oreilles sensibles et bienveillantes ?

CHAPITRE 3

Ras-le-bol général

Au-delà des victimes du *bitchage*, il apparaît assez clair que tout le monde, sans exception, en a ras-le-bol des campagnes de salissage, des commérages en coulisse, des ragots dans le dos des autres, des clans qui se forment pour mieux démolir la proie. Les blessées et les assassinées, ces victimes de guerres en milieu de travail, ne font plus rire dans les *partys*, n'amusent plus la galerie alors que l'écœurement trouve écho de manière plus ouverte dans le cœur des gens, et ce, avec beaucoup moins de tolérance et de douceur qu'auparavant.

Les hommes en ont plus qu'assez des crises d'enfants gâtées et les femmes n'ont pas de temps à perdre avec les *derbys* de démolition de carrière. Les gestionnaires en ont marre des femmes qui parlent dans le dos des autres ainsi que des émotions mal ou pas gérées. Il s'agit d'une immense perte de temps pour eux, dont les responsabilités premières sont de voir au bon fonctionnement de l'entreprise, mais aussi à ce que cette dernière soit rentable afin de pouvoir s'acquitter des dépenses encourues, y compris les salaires…

Si, en plus, les employeurs doivent voir à ce que les femmes dans l'entreprise ne s'arrachent pas les yeux de la tête, qu'elles ne perdent pas leur temps, autour de la machine à café, à *bitcher* et à former des clans pour se détruire entre elles, nous versons alors dans l'absurdité totale. Nous ne sommes tout de même pas dans une garderie, tel un groupe d'enfants qu'il faut surveiller sans relâche afin qu'ils ne se dérobent pas leurs jouets ou qu'ils ne se battent pas entre eux.

« Oui, mais il s'agit là de gérer des relations humaines ! » pensons-nous. Assurément, les relations humaines devraient être gérées de façon personnelle et individuelle. Surmontons nos angoisses avant qu'elles ne prennent davantage d'ampleur. Franchement, ne sommes-nous pas nous-mêmes lasses d'attirer ainsi l'attention sur nos enfantillages, nos bouderies, nos émotions de femmes blessées ? Pouvons-nous mettre un frein nous-mêmes à cette trop grande sensibilité avant que l'écœurement général atteigne son apogée et nous frappe en plein visage ? À moins qu'au contraire, nous ayons besoin d'être davantage ridiculisées en société avant de mettre un terme à ces stupidités sans avenir.

Retombées négatives en entreprises

En oubliant, pour quelques secondes seulement, le mal que le *bitchage* cause aux femmes directement concernées, nous pouvons compter le temps perdu à pratiquer cet exercice dévastateur. Ce qui est inouï, c'est le nombre d'heures perdues durant une semaine à parler d'une femme que nous prétendons détester. C'est incroyable ! Nous la détestons, mais nous ne cessons de parler d'elle. Quelle contradiction flagrante ! Avons-nous sérieusement tout ce temps à perdre pour investir autant de précieuses minutes à parler contre une personne que nous détestons ? N'est-ce pas là lui accorder un intérêt démesurément important ?

Je repense à une amie qui m'a dit un jour : « Elle serait certainement très contente de savoir qu'elle te dérange autant ! » J'en ai ragé des jours entiers, mais j'ai avalé ma pilule et compris le message. Elle avait tout à fait raison. Conséquemment, j'ai pris des décisions qui ont fait en sorte que cette femme n'a pu m'atteindre de nouveau. En effet, plusieurs femmes aiment déranger les autres et, si nous tombons dans leur piège, notre vie devient un calvaire. Nous ne parlons que d'elles, ne pensons qu'à elles, dormons, mangeons et faisons l'amour avec elles en arrière-plan. Est-ce là notre profond désir ? Nous portons, me semble-t-il, une grande responsabilité dans la gestion de nos émotions. Pourquoi perdre notre paix d'esprit en mordant aux hameçons lancés vers nous ?

Calculons, durant une semaine, le nombre de minutes, d'heures et de journées que nous passons à parler contre une autre femme. Faisons le total et imaginons toutes les tâches professionnelles négligées ou les pauses — qui nous auraient permis de nous changer les idées du travail — gaspillées à commérer. Nous serons alors en mesure de constater honnêtement que c'est absurde. Pendant que nous parlons dans le dos de l'autre, nous nous emportons, et ainsi nous entrons dans des émotions qui nous bouleversent.

En plus du temps perdu à commérer, donc à ne pas effectuer notre travail, nous nous laissons envahir par des émotions terriblement négatives qui ralentissent notre efficacité et notre rendement. Comment nous concentrer après avoir papoté à propos de l'inefficacité d'une telle, de son habillement provocateur, des paroles déplacées d'une collègue, sans oublier que ces tiraillements intérieurs, ces implications émotionnelles s'ajoutent aux conflits familiaux et aux autres problèmes qui, très souvent, sont beaucoup plus sérieux que les peccadilles de bureau ?

En plus de nous perturber nous-mêmes, le processus de dénigrement rend l'atmosphère malsaine dans le bureau et affecte tout le monde. Si nous ajoutons au ralentissement de notre performance l'énergie négative qui nous habite, la destruction de notre victime, en plus de l'ambiance de travail qui affecte nos collègues, ne trouvons-nous pas que l'étendue des dégâts commence à être importante ? N'est-ce pas suffisant pour nous questionner sur nos actes et nos paroles ? Lorsque nous contribuons à entretenir une atmosphère lourde et pénible dans notre milieu de travail, nous contaminons notre entourage. Sommes-nous pleinement conscientes des retombées négatives qui affectent de manière différente, mais tout aussi importante, chaque individu ?

À la fin d'une conférence, un homme m'a exprimé ceci : « Ce que j'ai trouvé difficile avec le *bitchage*, c'est qu'un jour une des employées est venue me parler contre une collègue, et cette dernière était ma meilleure amie. *Je ne savais que répondre*, mais mon malaise était grand et il m'a suivi des jours et des jours. *Je ne savais que faire,* je ne voulais pas la blesser en lui disant de se taire, et je ne voulais pas avoir l'air de prendre position en défendant l'autre. Alors, j'ai attendu qu'elle termine ses propos dénigrants. »

Sans le savoir, nous plaçons bien souvent nos compagnons de travail dans une situation assez embarrassante, il faut bien l'admettre, les obligeant par le fait même à prendre parti. Le milieu de travail devrait demeurer le plus possible un endroit neutre. Tentons de désamorcer un tantinet ce qui se présente à nous comme étant des drames humains avant de répandre des rumeurs ou de confier des états d'âme qui risquent de perturber notre confident. Demandons-nous si la situation est réellement importante et si elle justifie une médisance ou une calomnie quelconque ? Est-ce que nous nous sentirons vraiment mieux si nous en parlons ou n'est-ce pas seulement une mauvaise habitude que nous avons de commérer?

MÉMOIRE LONGUE DES FEMMES

C'est fou comme rien ne nous échappe, à nous, les femmes. Je me dis que notre mémoire est tellement infaillible que les hommes n'ont pas à se souvenir autant, nous le faisons très bien à leur place. Nous pouvons même nous souvenir des dates et du temps qu'il faisait lors d'un événement particulier. Quelle mémoire nous possédons! Comme si nous n'avions que ça à faire, nous souvenir. Et que dire des fameux dossiers que nous montons les unes contre les autres? Il faut de la mémoire pour se souvenir des menus détails que l'on veut colporter par la suite.

Lorsqu'une collègue a un comportement qui nous blesse ou nous fâche, nous l'encaissons et le notons dans notre dossier. Deux semaines ou deux mois plus tard, il s'additionne à une autre gaffe commise. L'inquiétant, c'est que rien ne s'annule. Une bonne attitude ne rachète pas ou n'efface pas une mauvaise conduite. Au contraire, si la personne démontre une bonne volonté de coopération, on lui prête des intentions hypocrites. Il n'existe pas de bonne réponse comportementale. Si elle agit avec intégrité, elle est hypocrite, si elle agit malhonnêtement, cela s'ajoute à son dossier. Soyez certaines que, dès que son heure aura sonné, elle sera traînée dans la boue.

En repensant aux échanges des femmes, j'observe qu'il s'agit d'une pratique passablement généralisée. Est-ce inné? Je ne saurais le dire. Selon certains, il semblerait que oui. Malheureusement, je ne possède pas les compétences nécessaires pour répondre à cette question; par contre, j'ai observé qu'il nous est facile de noter les fautes commises par le passé, les blessures que nous avons subies, les humiliations essuyées, car rien ne semble être réglé. La preuve réside dans l'incapacité pour certaines femmes de parler de leurs expériences dans le domaine du *bitchage*. Dans la mesure où le problème est résolu, le temps aurait dû estomper les sentiments vécus, les sensations ressenties à l'époque. Eh bien, non! Notre mémoire de femme se souvient des moindres détails, mais surtout, nous pouvons retomber dans les mêmes émotions peu importe les années. N'est-ce pas accorder trop d'importance à des éléments qui, justement, devraient déjà être classés comme nous le prétendons?

Une solution se présente à nous pour atténuer cette propension que nous avons à accumuler les fautes commises. Il s'agit de régler au fur et à mesure les désagréments que nous occasionnent certaines interventions de la part de nos collègues. Si nous sommes blessées par les paroles de quelqu'un, il nous faut d'abord réfléchir à savoir s'il y a vraiment matière à en être si affectées. Dans l'affirmative, il est préférable d'aller directement à la source et d'en discuter avec la collègue concernée, plutôt que de raconter l'événement à une tierce personne ou de l'ajouter dans un dossier. Classons ou réglons définitivement les expériences que nous considérons résolues afin de faire de la place dans notre esprit pour des événements plus heureux. Ne cherchons pas à leur conférer inutilement de l'importance afin de conserver vivantes certaines expériences qui ont traversé notre vie. Oui, le souvenir est utile, mais il faut savoir le laisser dans le grenier de l'oubli quand il ne sert plus notre cause.

La boule grossit

Évidemment, la mémoire à long terme fait en sorte que, comme nous l'avons vu précédemment, les écarts de conduite s'accumulent tant et si bien qu'une boule se forme et grossit. Une boule de colère qui risque d'éclater à chaque petit échange plus musclé.

Il est bien reconnu que nous, les femmes, pratiquons plusieurs activités en même temps. Nous montons un dossier contre X, nous ressentons le besoin d'en parler dans notre entourage, possiblement pour nous libérer, mais également pour nous donner bonne conscience. Lorsque le dossier devient très épais, assez lourd même, notre patience, en parallèle, a atteint sa limite. Nous déversons alors sur nos voisins et voisines le trop-plein. Ce qui est fabuleux et franchement aberrant, c'est qu'en plus de nous souvenir des erreurs stupides que notre collègue a commises un jour, dès que nous en parlons, nous revivons les mêmes sentiments vécus au moment de leurs réalisations.

Nous prenons à partie notre entourage pour accroître notre crédibilité et ainsi avoir l'impression d'être correctes dans nos actions douteuses. Une confirmation de notre entourage nous conforte dans notre sentiment que l'attitude de X est franchement insupportable. Puis, à force d'en parler, de faire son procès, la boule grossit et l'événement de départ prend une tournure insoupçonnée. En distribuant l'information à droite et à gauche (commérage), sommes-nous conscientes que nous versons de l'huile sur le feu ? Probablement pas, à moins qu'il s'agisse du but ultime : monter tout le monde contre X.

Si nous revenons au témoignage « Guerre à finir », l'idée initiale était claire et s'est exprimée par « l'union fait la force ». Il est facile d'imaginer que plus Monique parlait contre Judith, autant à l'interne qu'à l'externe, plus sa haine décuplait pour, finalement, trouver son point de salut dans la démission de cette dernière. Elle a atteint un de ses objectifs, même si cela devait la contrarier de ne plus avoir personne sur qui déverser son mal de vivre.

L'accumulation crée ce phénomène de déformation de la réalité. On retrouve un peu le principe du téléphone arabe dont tout le monde connaît pertinemment bien les règles pour y avoir joué un jour. Nous partons d'une phrase pour la répéter à l'oreille de notre voisin en faisant ainsi la chaîne et, au final, le dernier répète les mots qui lui sont parvenus pour se rendre compte que la phrase n'a plus aucun sens et ne ressemble en rien au propos du début. Le phénomène du *bitchage* possède ce principe fort simple : plus on en parle, plus on discute et moins ça colle à la réalité. Du coup, si X a fait une connerie, nous en discutons à droite et à gauche et la distorsion s'insère dans l'histoire, et la rage augmente en nous chaque fois que nous racontons l'épisode.

La déformation vient du fait que chacun ajoute son grain de sel à une histoire de départ. Lorsque le sort de X débute avec le fait que cette personne arrive toujours en retard, par exemple, et que le patron ne dit rien, qu'une collègue ajoute qu'elle prend une heure trente pour dîner au lieu d'une heure comme tout le monde, qu'une troisième personne parle tout à coup de la façon dont elle s'habille, soi-disant sans goût, qu'une autre fait mention qu'elle passe son temps au téléphone pour des appels personnels… donc qu'elle ne travaille pas beaucoup, ça regarde mal pour l'avenir de la cohésion dans ce bureau ! Malheureusement, les ragots vont bon train et cette femme n'apprendra que bien plus tard tout ce qui courait à son sujet avant sa démission ou son congédiement.

S'unir pour mieux se démolir

Ce qui ne cesse d'étonner, c'est l'énergie qu'une femme déploie, c'est-à-dire son acharnement et sa détermination, pour démolir une de ses semblables. Dans plusieurs cas, cette ardeur à la tâche se transforme en obsession. Même si, à l'origine, il ne s'agit que d'une sensation de malaise envers une collègue, d'un problème de communication, de la mauvaise interprétation d'un commentaire ou autre, il n'est pas rare que la suite des événements tourne rapidement au vinaigre. Très souvent, la femme qui prend une autre femme en aversion aura tôt fait le nécessaire afin d'embarquer d'autres femmes avec elle pour renforcer son plan. Un clan se formera rapidement pour partir en guerre contre un autre clan, lorsque ce n'est pas contre une seule femme. Cela ne ressemble-t-il pas à la vraie guerre telle que nous la voyons au journal télévisé?

Pourquoi cette mobilisation? Pour justifier un malaise? La femme se sent-elle moins mal à l'aise d'un comportement qui la dérange une fois qu'elle a formé un clan? Prenons un exemple : si X est dérangée par le ton sec qu'utilise Y lorsqu'elle lui parle, que fera X une fois sur deux? Elle en parlera à C, qui en parlera à R et ainsi de suite. Au fil des jours et des semaines, le groupe de X deviendra de plus en plus important, les médisances et calomnies, de plus en plus sérieuses. Maintenant, avec un clan de cinq femmes autour d'elle, est-ce que le ton de Y deviendra moins sec? Les chances sont minces que cela survienne. Et le groupe de six femmes rendra-t-il X moins sensible? Même verdict : minces chances.

Alors, la question se pose : qu'est-ce que X a gagné dans ce processus d'élimination? Un plus grand nombre de femmes dans le bureau trouvent que le ton de Y est vraiment agressant. En quoi cela lui donne-t-elle raison? Cela la valorisera-t-elle? Il apparaît simple que, avec son clan derrière elle, X se sente prête pour aller au front, c'est-à-dire partir en guerre contre Y. Il n'est pas rare de voir un groupe se soulever contre une femme, car durant des mois, le clan a travaillé en ce sens en utilisant les heures de bureau pour *bitcher* dans le dos de Y, et ainsi augmenter la haine et la rage.

En plus des heures de bureau, le soir au retour à la maison, le conjoint écope des mêmes doléances sur Y pour une énième édition. Les amies ou les parents n'y échappent pas non plus avec les appels téléphoniques qui leur sont adressés. Si, au départ, le ton sec de Y a été le moteur du *bitchage*, cela n'a pas manqué de bifurquer sur son habillement, son haleine, en passant par l'heure à laquelle elle arrive au bureau ou en repart, et j'en passe. Nous sourions comme les participants à mes conférences qui rient aux éclats lorsque j'évoque des scènes qu'un nombre considérable de femmes parmi nous ont déjà vécues.

Une fois que le groupe est bien formé, que la colère est à son apogée, le clan, ou son initiatrice seulement, se lancera dans une guerre sans merci, soit ouvertement, soit simplement en rendant Y malade. Nous parlons ici d'ulcères d'estomac, d'eczéma ou de toute autre maladie de la peau associée au stress, au *burnout*. Dans certains cas, le groupe aura carrément la peau de Y (sans vouloir faire de jeu de mots) par son congédiement ou sa démission. Pourquoi doit-on former un groupe pour détruire? Afin de se déculpabiliser? Pour tenter de démontrer une certaine supériorité afin de camoufler un complexe d'infériorité? Ce n'est pas la première fois que l'on se penche sur cette question. Dans mon premier essai, *La femme sexuée*, je soulevais une problématique semblable. Nous, les femmes, sommes-nous obligées de nous regrouper pour arriver à nos fins? Si oui, faisons-le au moins dans un but profitable à notre avancement professionnel. Voici un témoignage qui exprime exactement le phénomène de s'unir pour mieux se démolir.

* * *

La fosse aux lionnes

L'histoire de Maude

Robert était directeur commercial dans une entreprise de télécommunications. Le hasard faisant bien les choses, ses trois assistantes, dont Lise, étaient nées sous le signe du Lion, tout comme lui. L'harmonie était parfaite dans le royaume. Complices, les lionnes protégeaient farouchement les intérêts de leur patron, prêtes à sortir les griffes si quiconque s'aventurait sur leur domaine sans rendez-vous.

Un jour, les quatre s'entendirent pour embaucher une autre personne qui assurerait le travail de secrétariat à temps partiel. Le responsable des ressources humaines de l'entreprise offrit à Maude de prendre le relais au bureau, notamment durant les week-ends. La nouvelle recrue était compétente, efficace, rapide et discrète, très jolie et, étonnamment, le patron semblait de très bonne humeur le vendredi.

Un jeudi, considérant les aptitudes en marketing de la jeune recrue, Robert demanda à ses assistantes s'il serait possible de l'intégrer à leur équipe, estimant qu'elle méritait mieux qu'un statut de secrétaire de week-end. Puis, le vendredi matin, Maude téléphona à Robert pour lui dire qu'elle avait un rendez-vous prévu depuis longtemps chez son médecin. Voyait-il un inconvénient à ce qu'elle entre au bureau en fin de journée et qu'elle reprenne ses heures la semaine suivante? « Non, aucun problème », a rétorqué Robert.

Lise, constatant que Maude était absente, fonça dans le bureau de Robert dans une rage folle pour signaler la situation. Il lui répondit qu'il était au courant et qu'il avait acquiescé à la demande de Maude. Lise l'accusa d'avoir omis de la consulter d'abord, lui rappelant que la secrétaire relevait de son autorité à elle, et non de la sienne.

Le lundi, lorsque le Roi Lion demanda le dossier sur lequel Maude devait avoir travaillé pendant le week-end, Lise le lui apporta, réprimant difficilement un sourire en coin. Il constata que rien n'avait été fait comme prévu. Il la regarda, interloqué et surtout inquiet, car une présentation importante devait avoir lieu avec un nouveau client, le lendemain matin. Lise prétendit ne pas avoir d'explication.

Il téléphona à Maude pour entendre sa version. Elle lui dit qu'elle était vraiment désolée, qu'elle savait à quel point ce dossier était prioritaire, mais qu'elle ne l'avait pas trouvé, comme prévu, sur son bureau.

La situation se reproduisit une semaine plus tard. Le patron et ses trois lionnes firent une réunion pour statuer sur le sort de la secrétaire. La démocratie s'exerça et le vote du patron fut minoritaire. Le couperet tomba. Lorsque Maude se présenta le lundi, Lise, curieusement, s'esquiva à cause d'une urgence. C'est Robert qui convoqua Maude pour lui faire part de la décision de Lise, sa supérieure hiérarchique, et qu'il regrettait de devoir se passer de ses services.

La jeune femme lui répondit qu'elle était soulagée, qu'elle avait justement l'intention de lui présenter sa démission, car elle n'en pouvait plus. Elle lui expliqua le grand malaise qu'elle éprouvait au sein de cette équipe, évoquant certains faits curieux et la tension qui régnait entre elle et les trois autres depuis son engagement.

Robert officialisa la nouvelle aux trois complices. Ravies de savourer leur victoire, elles lui avouèrent qu'elles avaient volontairement caché le fameux dossier si important, qu'elles lui avaient souvent donné des rendez-vous pour le lunch en changeant de restaurant sans la prévenir, qu'elles n'avaient pas transmis certains messages téléphoniques, qu'elles avaient caché ses sac, foulard, clés, agrafeuse et autres. En résumé, elles se vantèrent d'avoir tout fait pour la faire craquer et que, « de toute façon, ça n'aurait pas marché… Maude était Cancer ! »

— C. L.

* * *

Que pouvons-nous souhaiter de mieux sinon que ce genre d'histoire, enveloppée de méchanceté et d'hypocrisie, ne se reproduise plus ?

GUERRE INTESTINE :
OÙ SONT LES GESTIONNAIRES ?

Étrangement, lorsque ce genre de crise éclate dans une entreprise, les gestionnaires sont souvent les derniers à en connaître la teneur. Cela peut être attribué au fait que le *bitchage* est un phénomène tellement insidieux que, lorsqu'il éclate au grand jour, une femme est sur le point de tomber au combat. Assurément, le travail en coulisse s'exerce depuis fort longtemps, et les conséquences deviennent évidentes quand la guerre tire à sa fin.

* * *

Gestion panique

L'histoire de Gilles

À l'époque, j'occupais les fonctions de directeur général dans une institution à but non lucratif. Dès le départ, j'ai établi de bonnes relations avec mon personnel, j'en étais fier et j'étais même reconnu pour le souci particulier avec lequel je dirigeais mon équipe. Mes nombreuses années d'expérience sur le terrain m'avaient enseigné à exercer mes fonctions avec beaucoup de sensibilité et de compréhension. J'étais à l'écoute et je tentais de prendre les meilleures décisions pour que l'équipe au complet soit heureuse, harmonieuse et productive, autant que faire se peut. Si bien que, parfois, je me retrouvais à m'adapter pour le bien-être collectif. Notre groupe comptait huit femmes et trois hommes, dont moi-même.

Malgré la personnalité forte de Caroline, j'étais très satisfait de mon équipe de travail. Incidemment, cette caractéristique lui était nécessaire pour mener à bien ses fonctions dans le domaine des relations de presse. Pourtant, le conseil d'administration et moi allions découvrir un côté de son caractère jusqu'à maintenant bien caché.

Puisque mon bureau était près d'un parc, souvent à l'heure du dîner je m'installais à une table de pique-nique pour prendre mon lunch. Je dirigeais un projet spécial d'envergure, et chaque journée comportait son lot de problèmes, de soucis et de mystères à résoudre. Ainsi, ces moments de retrait où je me retrouvais seul au milieu d'une journée extrêmement occupée se transformaient en détente. Ce midi-là, Caroline est venue me rejoindre, rompant de ce fait mon isolement. Elle s'installa devant moi et me déclara d'un ton sec, sans aucun préambule :

« Combien de temps encore vas-tu supporter ce qui se passe dans le bureau ? »

Mon sandwich à la main, je suis demeuré figé. Je tentais de remettre mes idées en place et, surtout, de comprendre sa brutale intervention. Elle enchaîna en déclarant que la saine gestion du bureau était ma responsabilité. Je réussis finalement à émettre une phrase :

« Mais de quoi parles-tu exactement ?

— Marjolaine et moi avons découvert que Chantale parle aux autres membres de l'équipe dans mon dos, et même au conseil d'administration. Michel fait partie de ça. Et maintenant, il y a deux clans dans le bureau, si bien que je suis aussi allée parler moi-même avec certains membres du CA de ce problème.

— Vraiment? Je vais étudier la situation et te revenir le plus rapidement possible avec des suggestions. » *Et surtout avec la meilleure réponse possible dans cette situation,* me dis-je intérieurement.

Que faire? Je ne savais que penser de cette histoire. Je tentais d'y croire, mais je ne possédais aucune preuve pour appuyer ses dires. Jusqu'à maintenant, j'avais toujours cru être sensible aux vibrations dans le bureau, mais ces révélations me firent douter de mes compétences.

De par ses nombreuses années d'expérience professionnelle, Chantale était l'adjointe avec laquelle je devais travailler en étroite collaboration et discuter des problèmes et des défis de l'institution. J'initiai donc une réunion avec elle pour lui exposer le problème.

« Quoi? me lance-t-elle, surprise. C'est vrai que je n'aime pas beaucoup Caroline, mais je respecte son travail. Je ne prends pas mes lunchs avec elle parce que nous avons peu en commun. Par contre, quand nous devons travailler en collaboration, discuter des affaires du bureau, je suis toujours très correcte avec elle. Mais, j'y pense… depuis quelques jours, j'ai remarqué qu'elle mangeait tout le temps avec Marjolaine. Est-ce qu'il se passe quelque chose entre elles?

— Oui, il semblerait.

— As-tu discuté de cette situation ou as-tu parlé de Caroline avec les membres du CA? »

Elle a ri en ajoutant :

« Tu sais, les choses avec le CA — je dois parler avec eux souvent, les réunions, les ordres du jour —, c'est normal! Mais je n'ai jamais parlé d'autre chose. »

Lorsque la discussion fut terminée, je conclus que la deuxième étape consistait à rencontrer Michel. Je lui demandai :

« Est-ce qu'il y a des problèmes dans l'équipe ?

— Quels genres de problèmes ?

— Je ne sais pas, peut-être des préoccupations que tu aimerais discuter avec moi ?

— Non, rien. Est-ce qu'il y a des problèmes ? insista-t-il.

— Je voulais simplement vérifier si tu avais eu vent de situations précaires, car certains employés m'ont demandé de régler des problèmes.

— Ah oui ? Est-ce que c'est Caroline qui a demandé ça ? Chaque fois que je dois discuter de trucs professionnels avec Chantale, elle nous regarde d'un air bizarre. Quoi qu'il en soit, je préfère ne pas trop y penser, car je suis trop occupé. Mais... Ah ! tu connais les femmes... il y a toujours quelque chose ! »

Mon enquête terminée, j'arrivai à la conclusion que le comportement de Caroline était altéré par un trait de caractère. Cette dernière avait gagné Marjolaine à sa cause et, finalement, je me retrouvais avec deux membres de mon personnel qui parlaient contre Chantale, Michel et moi-même. De plus, elles avaient même discuté avec certains membres du CA qui, eux, commençaient à douter de mes compétences en gestion à cause de leurs commentaires.

Nous nous sommes lancés dans un très long processus afin de découvrir une vérité, une réalité qui n'a peut-être existé qu'à travers le malaise de Caroline avec l'équipe de travail. Je crois que, finalement, elle imaginait que les autres ne l'aimaient pas. Malgré son agressivité et son assurance, elle manquait de confiance en elle. Les ragots qu'elle a rapportés au CA étaient complètement farfelus ; de plus, il a fallu un temps fou pour réparer les dégâts. Toutes ces recherches effectuées pour trouver des coupables, des victimes, pour justifier des sanctions, ont grugé beaucoup de notre temps et de notre énergie.

Au bout du compte, Caroline a quitté l'entreprise; les membres du CA, les autres membres de l'équipe et moi-même avons fini par comprendre ce qui s'était réellement passé. En raison du *bitchage* d'une femme mal dans sa peau, notre équipe de travail a failli être détruite, sans compter les énormes problèmes dans lesquels cette femme nous avait plongés. Le projet d'envergure complété, j'ai quitté à mon tour l'institution pour me reposer un peu avant de me lancer à nouveau dans un autre projet.

Aujourd'hui, j'occupe encore les fonctions de directeur, je tente d'être plus réceptif au *bitchage*. Dès que j'entends parler d'un conflit, je vais directement à la source pour le régler, sans attendre une minute. Cependant, le temps consacré à gérer ces problèmes émotifs me semble un temps précieux gaspillé.

— G. B.

* * *

Les gestionnaires considèrent clairement le phénomène du *bitchage* comme une perte de temps pour l'entreprise; le moment est donc venu de traiter ce grave problème avec sérieux. Il ne s'agit plus seulement d'entendre les plaintes des victimes, de constater les réputations entachées des femmes, mais de comprendre l'exaspération des patrons qui en ont assez de ramasser les pots cassés, sans compter qu'ils doivent essuyer des pertes, et ce, à tous les niveaux.

Que faut-il de plus pour nous faire réagir? Sommes nous capables d'écouter, de voir ce qui se passe, ou sommes-nous trop envahies par notre propre détresse? Nous sommes déjà en mesure de constater les conséquences d'un tel déclin pour la carrière des femmes dans la société. Prendrons-nous le temps de nous questionner sur le *bitchage*? Vraiment...?

CHAPITRE 4

Conséquences à court terme

Une fois que nous avons dénoncé cette pratique dévastatrice, étalé le « pourquoi du comment », exposé les caractéristiques, décortiqué les possibles raisons du *bitchage* et recueilli des témoignages, que reste-t-il? La réponse est très simple : envisager les conséquences de nos actes. Car, force est d'admettre que les femmes victimes d'un tel irrespect et d'un tel outrage demeurent fragiles, sensibles et extrêmement marquées.

Sommes-nous si méchantes? Détruire nos pairs, est-ce là notre volonté réelle?

* * *

Viol psychologique

L'histoire de Kim

J'étais à l'emploi d'une entreprise de services publics depuis quinze ans. Mon cheminement de carrière m'avait permis d'obtenir une promotion au service du développement. Motivée, enchantée et prête à relever de nouveaux défis, je sympathisai avec mes collègues dès mon arrivée. J'occupai mes nouvelles fonctions tout en suivant simultanément le programme de formation donné par Suzie. Cette dernière m'encourageait, me félicitait de ce changement qui s'annonçait prometteur, car je venais de traverser une période difficile. Je poursuivais un combat contre le cancer.

Quelques semaines plus tard, je proposai d'organiser un lunch, ce qui suscita l'intérêt de la plupart des membres de l'équipe. Arrivée devant le bureau de Zoé, je la conviai à se joindre au groupe et lui offris de confirmer sa présence. Zoé me toisa des pieds à la tête d'un air méprisant et me lança un « NON » catégorique. « Tout le monde a ses humeurs, peut-être est-elle mal lunée », pensai-je, ne m'en faisant pas outre mesure. Je me trompais, car c'était là le prélude à ce que j'allais subir pendant deux longues années, en devenant la cible d'attaques véhémentes et virulentes.

Zoé tentait systématiquement de saboter mon travail. Elle me ridiculisait lorsque j'avais une conversation avec un ou une collègue. Elle montait la tête des autres, quitte à inventer des histoires sur mon compte dans le but de me discréditer et de m'isoler. Elle a même déclaré fièrement qu'elle voulait que je parte et qu'elle ne cesserait pas de me harceler tant qu'elle n'aurait pas ma peau. Elle s'en vantait en plus ! Je ne comprenais pas ce qui animait sa haine envers moi. Elle ne me connaissait même pas.

J'ai commencé à faire de l'insomnie. Au travail, j'étais constamment sur la défensive, car je ne savais jamais quand ni comment surgiraient ses attaques. Quand je baissais la garde, croyant qu'elle se calmait, elle repartait de plus belle. J'ai donc demandé à rencontrer le gestionnaire, qui m'a écoutée d'un air indifférent. Puis, il m'a dit que c'était des affaires de « bonnes femmes » et qu'il n'interviendrait pas. Je dois préciser que je ne m'attendais pas à un grand soutien de sa part. Il était de notoriété dans l'entreprise qu'il favorisait Zoé en lui accordant beaucoup d'avantages et de privilèges qu'il refusait aux autres. Personnellement, j'ai la conviction qu'il approuvait et même qu'il entretenait ce climat de travail conflictuel, lequel avait pour effet de lui donner un sentiment de pouvoir.

Je vivais cette situation comme un viol psychologique. Elle m'attaquait dans tout ce qui constituait ma personnalité. Elle ridiculisait ma façon de parler, de m'habiller, mon sens de l'humour, ma taille, mes compétences, et j'en passe. J'estime que tout ce qui fait l'unicité d'un être humain, elle l'a sali. En désespoir de cause, je me suis inscrite à des cours de formation personnelle. En parallèle, je consultais un psychologue chaque semaine, ce qui m'aidait à garder la tête hors de l'eau. Certaines collègues me demandaient comment je faisais pour résister à autant de méchanceté, moi qui étais d'un naturel aimant et conciliant. Je faisais des efforts surhumains pour ne pas pleurer à chaudes larmes. Puis, je redressais les épaules et j'encaissais les critiques de la mégère, tout en espérant que ce supplice prenne fin.

C'est lorsqu'elle a commencé à s'en prendre à Suzie, qui me semblait beaucoup plus vulnérable que moi, que j'ai pu prendre du recul et réaliser toute l'horreur de ce qu'elle faisait endurer aux autres. C'était gratuit, bête et méchant... inhumain. J'ai constaté la portée des dommages psychologiques qu'elle avait causés à Suzie, qui, trois ans plus tard, a pris une retraite prématurée à la suite d'une profonde dépression; elle est toujours sous médication.

Un jour, j'ai trouvé la douce Suzie en pleurs dans les toilettes. C'est là que je suis passée du rôle de victime à celui de combattante. C'en était assez et j'ai sorti l'artillerie lourde. J'étais animée d'une détermination farouche et rien ne m'aurait fait lâcher prise. J'ai monté un dossier bien étoffé et je l'ai présenté au service des ressources humaines. Lors de cette rencontre, j'ai clairement stipulé que, si aucun correctif n'était apporté par l'entreprise, je poursuivrais mes démarches avec l'aide d'un avocat en droit du travail. Curieusement, le fait de devenir une battante m'a totalement libérée de cette agression pernicieuse.

Un enquêteur externe a été embauché. Il a procédé à des interrogatoires de tous les membres du service. Sur vingt personnes interrogées, dix-sept ont corroboré mes déclarations. En revanche, Zoé, mon patron et ma chef d'équipe ont nié ces allégations, bien entendu.

Une année s'est passée avant le dépôt du rapport de l'enquêteur. L'entreprise a été tenue par la loi d'apporter des correctifs. Épuisée par ce combat, blessée au plus profond de moi-même, j'ai décidé de quitter mes fonctions.

Cinq années plus tard, il m'est encore pénible de parler de ce calvaire. Je sais que je porterai à jamais les cicatrices de cette douloureuse expérience. Chaque personne a droit au respect de sa personnalité, de ses convictions, de ses opinions et de son intégrité. J'ai appris que, dès la première attaque, on doit réagir, car l'inertie conduit à une escalade de violence psychologique et qu'après, il devient très difficile de s'en sortir. Du fond du cœur, j'espère que ce témoignage servira à briser l'isolement, ne serait-ce que d'une seule personne actuellement aux prises avec une harceleuse sur les lieux de travail. »

Je nourris l'espoir que la Loi sur les normes du travail en matière de harcèlement psychologique, promulguée en 2003, sera appliquée avec plus de rigueur, qu'elle forcera les entreprises à promouvoir des campagnes sur ce sujet.

— K. S.

* * *

Avons-nous besoin d'ajouter autre chose ?

JOUER À L'AUTRUCHE

Lors de soirées entre amies, lorsque j'aborde le sujet du *bitchage*, étrangement, certaines femmes se défendent littéralement contre cette possibilité en m'assurant que, dans leur milieu de travail, les choses sont différentes. Pourtant, à la fin de la conversation, elles finissent par se rétracter en avouant que « oui, en effet, plusieurs femmes sont à redouter et qu'au travail, elles s'en tiennent loin ». Pourquoi continuent-elles de nier l'évidence, alors que, dans une très forte majorité des lieux de travail, l'atmosphère est empoisonnée par le commérage et le *bitchage* et même par le harcèlement psychologique ? Pourquoi en serait-il autrement dans leur environnement professionnel ? Sommes-nous les premières à ne pas accepter cette triste réalité ? Si tel est le cas, comment pouvons-nous procéder à un changement ?

Chaque jour, des femmes se font démolir par leurs semblables. Devons-nous ignorer ce fait parce que le *bitchage* et la méchanceté « n'arrivent qu'aux autres » ? Est-ce par naïveté que nous refusons de croire qu'ils puissent s'adresser à nous ? En effet, aucune femme n'est à l'abri de ces ouragans féminins. Cela pourrait très bien arriver à notre fille, à notre tante, à notre mère et à nous-mêmes. Si l'on en croit les témoignages — certains des plus significatifs se retrouvent dans cet essai, mais je maintiens qu'un livre de mille pages aurait pu être écrit sur ce sujet —, une épidémie se répand en ce moment et elle risque de prendre des proportions alarmantes, voire pandémiques.

Nous sommes préoccupés par les épidémies d'influenza, de rougeole, de sida, par exemple, mais pour une raison obscure nous négligeons totalement la propagation de la méchanceté maladive de certaines femmes. Pourtant, ces femmes sont tout autant dangereuses, car elles attaquent, et parfois même tuent, carrément l'âme d'une autre femme. Comment cette dernière peut-elle ensuite retrouver sa confiance en elle et dans les autres ? Difficile de s'en remettre…

Une de mes connaissances rigolait encore en me rapportant le plaisir que les hommes avaient dans son milieu de travail (en informatique) à observer les femmes commérer entre elles. Assez pathétique, n'est-ce pas ? Il semble que nous perdons toutes notre crédibilité auprès d'eux en plus d'entacher, par le fait même, notre avenir professionnel. Il y a urgence à comprendre que nous sommes perçues, aux yeux des hommes, comme des « clowns » avec notre *bitchage*. L'heure a sonné, nous devons nous réveiller !

Il ne faut jamais oublier les batailles que certaines femmes ont livrées pour que leur vie et notre vie au sein de la société s'améliore. Rien n'est jamais acquis, immuable. Tout est en mouvement. Nous sommes le résultat de nos actes et semons les graines de la discorde pour les générations à venir, ne l'oublions pas. Pensons à long terme et regardons notre façon de faire, notre façon de gérer notre stress, notre envie, notre jalousie, notre sensibilité, nos émotions et… imaginons demain. Il ne s'agit pas d'être défaitistes, mais simplement conséquentes dans nos actes. Ce n'est pas parce que nous nous croyons arrivées au bout d'une route que nous le sommes.

ÉGALES AUX HOMMES, VRAIMENT ?

Il n'y a pas si longtemps, certaines femmes croyaient, à tort ou à raison, que la vraie libération féminine reposait sur l'égalité des sexes. D'accord. Pourquoi pas ! Personne ne peut s'opposer à l'idée d'obtenir un salaire égal à celui des hommes, n'est-ce pas ? À travail égal, salaire égal, cela va de soi. Bien mal venu serait celui qui tenterait de remettre cette évidence en question. Pourtant, combien d'années de lutte a-t-il fallu pour adhérer à cette « évidence » ? Cette bataille est-elle gagnée pour toujours ? Nul ne peut y répondre, mais il semble que oui. Et nous, les femmes, sommes heureuses de cet acquis, et à juste titre. Regardons les choses autrement.

Une très bonne amie, qui travaille dans le domaine de l'alimentation, m'a rapporté qu'à son lieu de travail, un homme occupe les fonctions de chef cuisinier tandis que le reste du personnel est composé de femmes avec, évidemment, tout ce que cela comporte de hiérarchie dans le service. Ginette, la responsable du service à la clientèle, déverse carrément ses frustrations et son mal-être sur les autres, et sa position lui octroie malheureusement certains privilèges, comme la responsabilité des horaires ainsi que la gestion du personnel. Nantie de cette autorité, Ginette ne manque pas une seule occasion de rendre l'atmosphère de travail absolument insoutenable, si bien que deux femmes dans l'équipe sont en *burnout*. Elle crache son venin sur une, puis sur une autre ; personne n'est épargné. Durant une semaine, elle s'en prend à Marie-Ève et lui fait porter toutes les erreurs commises dans le service. Elle s'emploie avec diligence à la faire pleurer, si bien que l'équipe du syndicat ne parvient plus vraiment à la défendre tant les plaintes portées contre elles sont importantes et nombreuses.

Fait intéressant, le chef cuisinier est finalement sorti de ses gonds. Dans un premier temps, il a exprimé son « écœurement » à Ginette en lui remémorant toutes les méchancetés qu'elle a lancées aux femmes et ce qu'elle leur a fait subir. Et, dans un deuxième temps, il lui a souligné avec aplomb que personne ne pouvait la sentir, qu'elle rendait la vie misérable aux femmes en sabotant le travail de toute l'équipe et qu'il était à bout de l'entendre *bitcher* contre les autres femmes.

Après cette apostrophe virulente, il a menacé la direction de remettre sa démission, n'en pouvant plus de travailler avec une femme aussi malsaine. Puisqu'il s'agissait du troisième chef cuisinier embauché en peu de temps, la direction a décidé de convoquer Ginette pour lui expliquer franchement la situation et l'exhorter au calme. Elle s'y prêta, mais, échaudé, tout le monde demeura sur le qui-vive. Certes, à l'occasion, elle revenait à ses vieilles habitudes et se lançait de nouveau dans une campagne de salissage, mais elle finissait par s'apaiser. Qu'attend cette Ginette ? D'être congédiée avant de changer ?

Dans une autre entreprise, également du domaine de l'alimentation, le chef cuisinier a carrément menacé la direction de quitter ses fonctions si davantage d'hommes n'étaient pas embauchés à la place des femmes dans la cuisine : il n'en pouvait simplement plus des commérages et du placotage dans le dos les unes des autres. Ainsi, lorsque les trois femmes responsables des ragots finirent par partir, elles furent remplacées par trois hommes. Cette histoire est tristement authentique. Que l'on vienne à présent parler d'égalité ! Que l'on vienne nous dire que c'est seulement de la fabulation si on ose imaginer que l'avenir professionnel des femmes est en jeu, et ce, en raison des bêtises de plus en plus nombreuses de certaines.

Si les hommes eux-mêmes demandent que l'on embauche des hommes au lieu des femmes, le mot « égalité » perd alors toute sa place. Dans plusieurs années, pour regagner notre statut auprès d'eux, que devrons-nous accepter comme conditions de travail ? Devrons-nous retourner en arrière, reculer pour reconstruire à nouveau notre crédibilité ? En effet, le bilan qui se dresse à partir des situations que nous connaissons, dont nous avons entendu parler ou celles que nous avons nous-mêmes vécues, est lourd et inadmissible dans notre société dite « civilisée ». Je suis parfaitement consciente que je n'ai côtoyé qu'un faible nombre des femmes victimes du *bitchage* et, malgré tout, le décompte est plus qu'impressionnant, et même affolant.

DANGER POUR LA CARRIÈRE DES FEMMES

Lors d'une conférence, je sensibilisai l'auditoire à l'idée que, dans un proche avenir, la carrière des femmes serait menacée. Cela ne manqua pas de soulever de nombreuses contestations, considérant le nombre de plus en plus imposant de femmes occupant des postes de direction. Les participants rappelaient le parcours professionnel féminin accompli depuis les dernières années. Je leur répondis qu'en apparence, effectivement, nous pouvons croire à une montée fulgurante de femmes à des postes prestigieux au sein d'importantes entreprises. Mais la question que je soulevai était la suivante : combien de temps garderont-elles leur poste prestigieux ?

J'ai connu plusieurs femmes que l'on a soit congédiées, soit simplement « remisées » dans un services de l'entreprise où elles ne seraient plus « dangereuses », car leur manière de gérer laissait à désirer. Pouvons-nous devenir *businesswomen* et mettre de côté nos grandes émotions et nos dossiers litigieux élaborés à la moindre frustration ? Je suis parfaitement consciente que mes propos dérangent et sont durs à accepter, mais soyons honnêtes en appelant simplement un chat un chat. Ce n'est certes pas en faisant semblant que cette situation n'existe pas que les choses pourront s'améliorer.

Le message que je cherche à communiquer, c'est l'urgence de cesser le *bitchage*, le commérage, le dénigrement, la médisance entre les femmes. Comme me le mentionnait une participante : « Il y a bon nombre d'hommes qui ont déjà lancé des attaques contre nous, alors si nous devons en plus en rajouter… » Je parle ici en mon propre nom, au nom des femmes et pour les femmes. Pouvons-nous imaginer une conséquence différente que celle de la perte de nos emplois ou de notre statut si nous détruisons nos collègues féminines ?

* * *

La paix, ou la porte

L'histoire de Geneviève

Normand était directeur de la publicité dans un journal à grand tirage. Il avait monté une équipe uniquement composée de représentantes, toutes compétentes, dont il était fier. Le travail allait bon train, les ventes étaient à la hausse.

En mai, Geneviève, une élégante femme de quarante ans, qui avait fait ses preuves ailleurs, forte de vingt années d'expérience dans ce domaine, dépassa largement en quelques mois les objectifs de vente de l'année et, par conséquent, les résultats de ses collègues.

Selon les termes des contrats pour les vendeurs et vendeuses, une récompense est attribuée lorsqu'un objectif précis est atteint. Ainsi, la direction proposa de lui offrir une voiture de fonction. C'est alors que les ennuis commencèrent pour elle et pour le directeur. Il vit défiler devant lui les autres représentantes, qui avaient toutes des plaintes à formuler. « Geneviève a volé mes comptes… elle a appelé mes clients… elle a des passe-droits, elle… » On laissait sous-entendre qu'on savait comment elle les obtenait… « Pourquoi elle et pas nous ? »

La tension montait. Geneviève savait qu'elle n'avait rien à se reprocher et continuait d'effectuer son travail sans porter attention à tous ces bobards ridicules ; cependant, on la voyait de moins en moins au bureau. Normand s'aperçut rapidement que des commentaires circulaient au travail, des remarques désobligeantes à l'égard de Geneviève à propos de tout et de rien, des allusions malsaines sur sa vie privée, sur sa façon de s'habiller dans des magasins coûteux, sur le choix de son parfum « qui sentait la vieille poupoune », sur des rendez-vous réguliers avec un de ses clients. « On se demande si c'est pour lui vendre de la pub ! » « Les repas d'affaires, c'est le midi ! Pas le soir... », s'exclamaient ces collègues féminines, aigries.

Le climat de travail devint invivable. Pour mettre fin à cette campagne de salissage, Normand demanda à Geneviève de rendre la voiture, ce qu'elle fit, souhaitant ainsi assainir les relations professionnelles de l'équipe de vente. Mais, bien qu'ayant eu gain de cause, les critiques et les moqueries continuèrent. Pourtant, aucune de ces femmes n'avait de voiture pour leur fonction. Elles étaient redevenues égales.

Normand eut beau rappeler ses collaboratrices à l'ordre, les invitant à cesser leurs commérages, rien n'y fit. Il prit donc l'initiative de mener sa petite enquête et d'identifier la plus redoutable du groupe, Denise. Il la congédia sur-le-champ et elle ne demanda pas son reste. Denise fut très vite remplacée par un homme et la paix revint au sein du groupe de représentants. Geneviève est restée la meilleure représentante du groupe.

— L.V.

* * *

FEMMES AU BANC DES ACCUSÉS

Depuis le début de la rédaction de ce livre, bon nombre de femmes m'ont contactée pour me raconter leurs histoires pour le moins sordides. Si nous sommes encore des autruches qui feignons d'ignorer la gravité du problème en nous mettant la tête dans le sable, c'est que l'ignorance et l'insouciance sont notre lot.

Je ne saurais placer un point final à cette première partie sans le témoignage *troublant* — mot bien faible pour exprimer un cauchemar — d'une professionnelle. Son histoire m'habita pendant plusieurs semaines et m'empêcha de bien dormir. Pourtant, ce n'était rien en comparaison de la lecture de la plainte formelle déposée dans ce cas. Nul ne pourra désormais affirmer que la haine féminine n'est qu'un rêve, qu'une machination.

Lorsque la volonté de blesser, de faire mal, de détruire dépasse tout entendement, nous versons dans un phénomène qui se nomme le *harcèlement psychologique,* tout comme le présentait le témoignage « Viol psychologique ». Plus que du *bitchage*, certaines mégères poussent leur folie jusqu'à adopter des comportements verbalement agressifs envers une employée. C'est ce qui est arrivé à Nicole. Enfermée dans un bureau, sa supérieure immédiate lui a crié des bêtises, l'a menacée de congédiement (chantage) et l'a insultée par des jurons ressemblant plutôt à ceux d'une déséquilibrée. Quoi qu'il en soit, cette gestionnaire est toujours sur le marché du travail, mais a été rétrogradée dans un service où elle ne peut plus détruire personne. Qui a pris sa place? Un homme, bien sûr! Cesserons-nous de croire que les carrières des femmes ne sont pas en danger?

* * *

Harcèlement psychologique et congédiement

L'histoire de Nicole

Alors que je travaillais à l'extérieur de Montréal au sein d'un important regroupement pour le département des communications, ma supérieure immédiate, Lucie, a décidé d'entreprendre sur moi du harcèlement psychologique, que j'ai fini par dénoncer. Je ne pouvais laisser mon emploi car mon importante rémunération assurait notre revenu familial. De plus, j'aimais beaucoup mon travail. J'avais du succès dans mes campagnes de communication et j'étais fort appréciée de mes collègues, de mes clients et même des journalistes. J'étais reconnue pour mon expérience et pour mon expertise. J'ai été au service de cet organisme pendant dix ans et, durant deux années, j'ai été suivie par une psychologue pour cause de harcèlement psychologique.

Les problèmes ont commencé après sept années de service. Le comportement de ma supérieure hiérarchique Lucie a graduellement changé. Au début, ses remarques étaient plus subtiles pour devenir éventuellement de plus en plus blessantes, du genre : « T'as intérêt à te grouiller le cul, si tu veux garder ton job... Arrête donc de te comporter comme une crisse de fonctionnaire... »

Une fois par année, Lucie initiait des rencontres individuelles avec chacun des membres de son service. Évidemment, très nerveuse et troublée, je lui ai demandé de cesser de m'insulter et de crier après moi, car cela ne faisait que ralentir ma performance en me rendant ainsi extrêmement *insécure* et non productive. Pour toute réponse, elle m'a dit qu'elle n'avait pas le choix puisque, chaque fois qu'elle m'ordonnait de faire le ménage de mon bureau, de tout ranger, je ne le faisais pas assez rapidement, que je ne comprenais rien. Elle n'avait d'autre choix que de me vilipender pour que je comprenne et m'exécute.

Deux années plus tard, alors que j'organisais un événement de presse, elle me convoqua dans son bureau, deux jours avant, pour me menacer physiquement en imitant un fusil, ses deux doigts appuyés fortement sur ma tempe et en me disant : « T'es mieux d'avoir des journalistes pour ton événement... » Cette menace m'a tellement bouleversée que je n'arrivais plus à manger ni à dormir, et ce, pendant une semaine complète.

À travers ses multiples tentatives pour que je remette ma démission, pour que je pose ma candidature dans d'autres services, Lucie a utilisé une période très achalandée pour m'annoncer que je devrais changer de bureau avec une collègue qui occupait un espace beaucoup plus petit que le mien. Pour notre service, le mois d'avril était une période des plus occupées. Elle profita de ce temps, que je n'avais pas, et du stress que je vivais à l'accomplissement de mes multiples fonctions, pour me dire que je devais, encore une fois, faire le ménage de mon bureau et demeurer en *stand-by,* car même si le prochain jour férié arrivait, il se pouvait que je déménage dans le bureau de ma collègue. Elle m'a tenue ainsi sur les nerfs durant quatre jours en devançant et reculant le jour fatidique... qui n'est jamais venu. Je suis tout simplement demeurée dans le même bureau... jusqu'à la fin de mon emploi !

Un autre jour, elle m'enferma dans son bureau pour m'engueuler, car j'avais travaillé trop d'heures supplémentaires. Évidemment, sa porte était bien fermée, s'assurant ainsi qu'il n'y ait pas de témoins... Des trente heures qu'elle m'accordait, j'en avais fait quarante-trois et c'était beaucoup trop selon elle. Son obsession à propos des heures supplémentaires était récente ; pourtant, cette période de l'année avait toujours été la plus occupée. Elle poursuivit en me disant qu'elle ne comprenait pas comment je pouvais faire autant d'heures supplémentaires, car je n'avais pas tant de travail et que, d'ailleurs, personne d'autre dans le bureau n'en faisait. Il s'agissait, bien sûr, de mensonges, car mon horaire débordait et mes collègues, tout comme moi, travaillaient beaucoup d'heures supplémentaires.

En plus de me faire engueuler et crier par la tête, Lucie affichait un certain mépris envers moi. Après qu'elle eut approuvé une liste de presse que j'avais soigneusement préparée et montrée à une collègue qui avait exercé mes fonctions quelques années auparavant, elle me demanda, une semaine plus tard, à qui j'avais fait parvenir les invitations.

« Est-ce que ce regroupement-là a reçu une invitation?

— Non, et il n'était pas sur la liste que vous avez approuvée. »

Avec un regard méprisant, elle me lança d'un ton agressif :

« T'es vraiment une junior… pis au salaire que je te paie. Te rends-tu compte que tu viens de commettre une grave erreur professionnelle? »

La veille d'un événement très important, elle m'ordonna de ne quitter sous aucune considération la table de presse — ce qui est impossible lorsqu'un journaliste désire réaliser une entrevue — de ne rien manger ni boire, pas même une goutte d'eau et elle termina par : « Tu m'entends? ». Je suis rentrée le soir à la maison, complètement épuisée et en larmes.

Même si la porte du bureau de Lucie était toujours fermée lorsqu'elle criait après moi, le son traversait les murs, et une collègue me disait que je devais comprendre que ma supérieure vivait de grands stress. Chaque fois, je ne manquais pas de lui répondre que, moi aussi, je vivais des stress et que je ne criais pas après les secrétaires. D'ailleurs, à cause d'elle, tout le monde dans le bureau vivait un enfer, mais à cette époque j'étais sa cible préférée. Avant moi, je sais — puisque j'en ai été témoin — qu'il y en a eu plusieurs autres.

Après mes quinze années d'expérience dans le domaine des communications à organiser des événements de presse, elle remettait toujours en question mes compétences en me disant que je perdais ma crédibilité auprès des journalistes, ce qui était totalement faux. En effet, j'obtenais presque à chaque coup une couverture médiatique substantielle pour les événements que j'organisais.

Je pourrais ainsi continuer avec tous les mauvais traitements que j'ai subis, tout ce que j'ai traversé, et la liste serait très longue. Mon emploi étant temporaire, j'ai dû passer une évaluation nouvellement mise en place par le bureau administratif. Évidemment, je l'ai échouée, étant incapable de me concentrer à cette évaluation. Lucie m'a fait venir dans son bureau pour la énième fois, cette fois pour me congédier, prétextant l'échec de mon examen et me disant que, de toute façon, je n'accomplissais pas mes tâches correctement et que je devais simplement songer à faire autre chose de ma vie.

À la suite de mon congédiement, des informations — plutôt ignobles, j'en conviens — me sont parvenues. Une plainte de harcèlement psychologique avait déjà été déposée contre Lucie quelques années auparavant. Après mon renvoi seulement, j'ai pu lui faire face en déposant à mon tour une plainte, car avant, j'étais littéralement terrorisée. J'ai perdu ma cause, car je n'avais pas de témoins ni de micro sur moi faisant foi de son harcèlement et de ses crises dans son bureau. Sept de ses employés, six femmes et un homme, ont remis leur démission ou fait un *burnout* à cause d'elle, ou ont changé de service.

Pour ma part, j'ai été remplacée par une agence de communication, ce qui pourrait probablement expliquer son comportement hostile et cruel m'obligeant à me pousser à bout et à remettre ma démission. De plus, quelques jours après mon congédiement, j'ai dû me rendre à l'urgence de l'hôpital pour une crise sévère d'arthrite dont je n'avais jamais souffert de ma vie. Accablée de terribles souffrances et incapable de marcher, on m'injecta de la morphine aux quatre heures, et je suis demeurée hospitalisée pendant une semaine. Mon médecin m'informa qu'une telle crise ne relevait évidemment que d'un grand bouleversement émotif. Aujourd'hui encore, je dois prendre des médicaments contre l'arthrite.

Ma dernière journée au travail a été plus que mémorable. Lucie, en bonne organisatrice, avait planifié un cocktail dans son bureau pour mon départ. Puisque ma patronne d'alors se distinguait pour impressionner la galerie et pour sauvegarder les apparences, elle s'était fait un point d'honneur de souligner en grand mon départ. Sur sa table de travail trônaient un vin mousseux, un gâteau, des cartes de vœux et une tonne de cadeaux qui m'étaient destinés et auxquels mes collègues avaient été invités à contribuer pour leur achat.

Mes collègues, au courant du harcèlement de Lucie à mon égard, étaient visiblement mal à l'aise. C'était totalement surnaturel! Sourires crispés, ils étaient témoins du coup de théâtre, du dernier acte surnommé la Farce et mis en scène par la reine de l'hypocrisie! Ma consolation est venue beaucoup plus tard lorsque j'ai appris que Lucie avait été mutée dans un autre service où elle ne gère plus de personnel. Ainsi, elle ne fera plus d'autres victimes! Elle a été remplacée par un homme. Quant à moi, j'ai pris une résolution : plus jamais je n'aurais de femme comme supérieur! Et j'excelle toujours dans le domaine des communications.

— N. C.

* * *

Tel que mentionné précédemment, les hommes sont de plus en plus réticents à embaucher des femmes et, maintenant, les femmes elles-mêmes craignent de travailler pour d'autres femmes. Je suis l'une d'elles. Je ne voudrais certainement plus

être dirigée par une femme, à moins d'une situation exception-
nelle, et je n'ai aucun scrupule à le dire. Il faudrait, au demeurant, que la femme avec qui je me lierais soit bien dans sa peau
et de manière générale heureuse dans sa vie.

Tirer ses conclusions

Par un concours original du destin, Mireille, dans le témoignage « Gestion sans expérience », a revu l'équipe de travail
dans le domaine de la santé où elle avait travaillé. L'ayant su à
l'avance, elle n'éprouvait aucunement l'envie de les retrouver,
et l'idée de ne pas assister à l'événement lui traversa l'esprit.
Des amies lui conseillèrent fortement d'y aller, la tête haute, et
d'ignorer ces deux femmes qui avaient traversé orageusement
sa vie. Ce qu'elle fit avec succès. Mireille se rendit à la soirée
avec l'idée que ces femmes ne faisaient plus partie de sa vie et,
surtout, qu'elles n'avaient rien à voir avec le bonheur qu'elle
chérissait dans l'immédiat.

Sa surprise fut grande lorsqu'une des membres de l'équipe
s'est lancée vers elle pour l'embrasser et lui dire combien elle
était contente de la retrouver. C'était une émotion réciproque.
Quant à Lisette, elle fut estomaquée de revoir Mireille. Pourtant, son nom apparaissait bien sur la liste des invités et Lisette
était forcément au courant de sa présence. Mireille comprit
alors qu'elle était devenue, au fil des ans, le fantôme de
Lisette. Déstabilisée, cette dernière lui a demandé « comment
elle allait ». Mireille a répondu : « Très bien », sans pour
autant lui rendre cette politesse obligée.

« Je me surpris à ressentir un étrange détachement devant
ces femmes, raconte Mireille. À ma plus grande satisfaction, je
réalisai que je m'épanouissais ailleurs, dans un milieu sain. Je
n'avais rien à leur prouver. Mon attitude n'était pas forcée.

Après la soirée, Lisette est venue de nouveau vers moi avec cette même attitude utilisée jadis pour m'amadouer. Les yeux doux, affichant un air de grande compréhension, d'amitié sincère et profonde, elle m'a demandé une deuxième fois :

— Comment vas-tu, Mireille ? Je suis contente de te revoir.

— Ah oui ? Je vais très bien, merci.

— Je savais qu'on allait se revoir, que nous allions nous reparler, mais je ne savais pas quand.

— […]

— Je voulais te dire à quel point je me suis sentie très mal après ton retrait. Je sais que j'ai mes torts en ce qui concerne ton congédiement, mais je n'en prends certes pas toute la responsabilité. Andréa avait déjà pris sa décision. Ce n'est pas ma faute. Après ton départ, j'ai éprouvé des problèmes de sommeil. Je me sentais tellement mal.

— Mais pourquoi, si ce n'était pas ta faute ?

— Parce que je me demandais ce que tu pensais de moi. Je sais que tu m'en veux.

— Oui, je t'en ai voulu, mais plus maintenant.

— Merci, ça me fait du bien d'entendre ces mots.

— J'aimerais tout de même savoir pourquoi tu as des problèmes à dormir si tu n'as rien à te reprocher. C'est moi qui devrais vivre ces troubles, pourtant je dors très bien et tu devrais en faire autant.

— Oui, mais maintenant, je me sens mieux de savoir que tu ne m'en veux pas.

— Mais, je persiste à croire que tu as contribué grandement à ma mise à pied. Que tu as parlé dans mon dos.

— Non. Je n'ai fait que dire que tu étais malheureuse.

— Même ça, ça ne te regardait pas.

— Tu as raison.

— Le silence, Lisette, le silence. On ne parle pas dans le dos des autres. Tu aurais dû simplement dire à Andréa de venir me voir si elle avait des questions ou des inquiétudes. Tu n'avais pas à donner tes impressions.

— Je sais, c'est vrai. Je l'ai regretté après.

— Et pourtant, j'ai l'impression que tu le fais encore.

— Oh non ! J'ai eu ma leçon !

— En tout cas, fais attention à ce que tu dis, essaie de ne pas parler contre les autres, ça évitera de te mettre dans l'embarras. Et si c'est le cas, Andréa t'a utilisée, et ça non plus, ce n'est pas souhaitable.

— Oui, je sais. Mais tu es plus heureuse que tu ne l'étais avec nous.

— Ce qu'on discute ici, ce n'est pas d'avoir fait des choses, c'est de la façon dont elles ont été faites. Par en dessous, par derrière, avec maladresse et manque de respect. On ne traite pas des êtres humains de la sorte. Durant les rencontres quotidiennes, enfermées dans le bureau d'Andréa, vous êtes-vous demandé comment je me sentais dans le mien ?

— C'est vrai. Ce n'était pas correct.

— Tâche d'être heureuse, Lisette, et essaie de ne plus parler dans le dos des gens. »

« Avant de quitter les lieux, je tombai évidemment sur Andréa, qui m'apostropha, poursuit Mireille. Ma pensée était vraiment ailleurs, mais son immense volonté à me démontrer que j'avais l'air extrêmement bien et épanouie était évidente. Au fond, elle tentait de se justifier de m'avoir congédiée, supposément parce que je n'étais pas heureuse au sein de son équipe, qu'au fond elle m'avait rendu un très grand service, car à présent je rayonnais.

«Je suis sortie de la salle avec une nouvelle compréhension. Leur malaise me faisait peine à voir. Tandis que Lisette avouait franchement sa gêne, Andréa travaillait fort pour se donner raison. Mais, dans les deux cas, leur conscience n'était pas sans tache, alors que la mienne était libre. »

À la lumière de cette expérience, il est intéressant de constater que les « bourreaux » souffrent autant, sinon plus que les « victimes ». N'est-ce pas étrange ? Cela expliquerait peut-être que le mal de vivre des *bitcheuses* est comme un puits sans fond, et c'est pour cette raison qu'elles déversent leur malheur sur les autres. Quoi qu'il en soit, la conscience des femmes qui détruisent n'est pas sans remords, et parfois même sans culpabilité. Mais ce n'est certes pas une raison pour excuser ces destructrices.

Maintenant, voyons un peu comment les femmes se comportent à l'extérieur des lieux de travail. Est-il possible d'avoir des amies ? Sommes-nous aussi impitoyables en amitié qu'en affaires ?

DEUXIÈME PARTIE

Relations personnelles

CHAPITRE 5

Entre nous

Bien avant de commencer la destruction dans leur milieu de travail, les femmes ont commencé à se faire la vie dure à travers leurs relations amicales. Déjà, à l'école, on se battait en s'arrachant les cheveux. J'ai encore le souvenir très clair qu'en quatrième année, alors que mon homonyme m'avait invitée à l'attendre dans la cour d'école ce soir-là — ce que ma fierté et mon orgueil ne me permettaient pas d'esquiver —, d'être rentrée à la maison avec une pleine poignée de cheveux dans les mains. Dispute d'enfants sans importance, pensons-nous? Bien sûr! Pourtant, le sentiment de haine que j'éprouvais pour cette ennemie jurée resta longtemps imprégné en moi et c'était encore plus affolant que le combat de « coqs » qui avait eu lieu. C'étaient nos regards l'une pour l'autre, le sentiment réciproque de haine profonde et démesurée qui nous a habitées jusqu'à l'âge adulte, qui soulèvent l'inquiétude. Les garçons, contrairement à nous, bien sûr qu'ils se battent encore davantage, mais par la suite, c'est oublié.

Si les raisons de notre dispute demeurent un mystère pour moi, les sentiments peuvent, si je le désire, renaître de leurs cendres en un instant. Peut-être que notre aversion l'une pour l'autre avait trouvé racine dans notre besoin d'identité alors que nous portions le même prénom. Qui sait? Quoi qu'il en soit, l'hostilité reste authentique et encore fraîche. À cet âge, on ne nous avait pas enseigné à départager ces sentiments maladroits, si intenses, et j'imagine que nous n'avions pas les habiletés pour adoucir cette rage en nous, si bien que notre évolution a suivi son cours normal et le questionnement sur la haine profonde et intense pour nos semblables n'a jamais vraiment été résolu.

Par ailleurs, lorsque nous parvenons à l'âge adulte, rien ne nous empêche de revoir ce mécanisme de défense extrême et de modifier les effets malsains reliés à la mauvaise gestion de notre mal de vivre. À force d'observer mes propres comportements et ceux des autres femmes, je me demande pourquoi plusieurs d'entre nous en arrivent à détester autant leur propre sexe. Est-ce que toute cette intransigeance, cette colère, ce besoin de vengeance ne seraient pas simplement tournés contre nous-mêmes? contre notre mère? contre notre fille? Mais contre qui en avons-nous tant? Si nous parvenons individuellement à répondre à cette question, nous marcherons vers une grande amélioration de nos interactions avec nos pairs féminins.

AMIES — ENNEMIES

Le projet de ce livre n'était pas encore une pensée concrète au moment où j'allai me restaurer avec une amie célibataire qui me raconta son week-end précédent; elle avait été invitée chez une très bonne amie à l'extérieur de la ville. Ma réaction fut spontanée et vive lorsqu'elle termina son récit.

Le manque de complicité entre femmes est souvent davantage flagrant sur le plan personnel que sur le plan professionnel. Et pour cause, il n'y a aucune étiquette à respecter, nous

ne craignons personne, n'avons aucune peur d'un congédiement, des réprimandes ou d'être exclues d'un groupe. Rien ne
nous arrête, aucune éthique professionnelle pour nous enca-
drer. Tous les coups, même les plus bas, sont permis, surtout
lorsque la gent masculine entre dans le décor ou devient un
enjeu.

***

L'amitié se transforme en haine

L'histoire de Carole

Gabrielle, une amie de longue date, m'invite à passer quatre
jours avec elle à sa résidence en Gaspésie. Je m'installe chez
elle avec Claudia, une amie commune. Dès la première soirée, je
rencontre deux de leurs amis, André et Nick, dont leur intérêt
pour moi n'est pas dissimulé. Tous les cinq, nous sortons pour
danser, boire et fêter un peu.

Puisque je suis célibataire, les deux hommes me font la cour
ouvertement et nous rions tous. À la fin de la troisième soirée, je
décide de rentrer avec André chez lui. Nous passons une nuit
fort agréable à discuter et à baiser. Le lendemain, je retourne
chez Gabrielle et je remarque bien qu'elle n'est pas très sympa-
thique avec moi, mais sans plus. Je rentre à Montréal avec
Claudia et nous ne discutons nullement de cette sensation de
malaise.

Quatre jours plus tard, Nick me téléphone pour m'inviter à prendre un café. J'accepte. Après avoir discuté de tout et de rien,
j'apprends que Gabrielle me traite de tous les noms dans leurs
correspondances sur Internet. Pour ne pas déplaire à cette dernière, Claudia approuve grandement le mépris que manifeste
son amie envers moi, en plus d'entretenir le *bitchage*. Nick
poursuit ses révélations. Je découvre que Gabrielle a toujours

été amoureuse folle d'André, mais que ce dernier n'éprouve aucun désir ou attirance pour elle. Une situation que j'ignorais complètement. Voilà pourquoi Gabrielle était aussi froide avec moi au point de ne pas me rappeler depuis mon séjour chez elle.

J'apprends à Nick que je n'étais pas au courant de tout cela. Nous allons chercher sur Internet les correspondances. Je dois les lire pour le croire. Mes deux amies me traitent de putain, d'agace, de salope, et j'en passe. Je fais remarquer à Nick qu'André est probablement le plus à blâmer, car il ne m'a informée de rien. Lui seul savait que Gabrielle se mourait d'amour pour lui. Il est plus responsable que moi de cette impasse. En plus, c'est lui qui m'a fait la cour. Jusque-là, j'avais cru que Gabrielle et moi étions des adultes indépendantes et autonomes, que l'amitié nous liait envers et contre tout. Erreur de ma part, et je l'ai appris de manière plutôt brutale.

Le lendemain, je ne fais ni un ni deux, je prends le téléphone pour tenter une explication avec Gabrielle, mais rien à faire, elle refuse de me parler. Je réussis à mettre la main sur Claudia qui me confirme que Gabrielle me déteste et ne veut plus rien savoir de moi. Elle ne peut même plus me voir. Je lui explique que le gars ne l'aime pas et que je n'étais au courant de rien ; de plus, André est beaucoup plus à blâmer que moi. Rien n'y fait. Elle me confirme sa prise de position pour Gabrielle. Du coup, j'ai perdu deux amies, et les hommes n'ont jamais pris ma défense.

— C. M.

* * *

Ce témoignage me fait penser à ces jeunes filles que l'on traitait autrefois de putains lorsqu'elles devenaient enceintes avant le mariage. Pourtant, elles n'avaient pas engendré l'enfant seules, un homme était également responsable de cette situation « honteuse ». Et le plus triste dans tout cela, c'était davantage les femmes qui condamnaient les victimes et réprouvaient leur conduite.

N'avons-nous pas l'impression que des pièges sont parfois tendus autour de nous, simplement pour que nous y tombions. Dans ce cas-ci, il apparaît clairement que Gabrielle aurait dû exprimer ses sentiments pour André. Elle n'était pas sans savoir que son amie de longue date assumait pleinement sa libido, et elle savait pertinemment ce qui arriverait. Est-ce que Gabrielle souhaitait cette conclusion afin de faire une croix sur André de manière définitive — même si elle conserva l'amitié de cet homme — et rompre une amitié de longue date ? C'est possible.

Pourquoi sommes-nous beaucoup plus tolérantes envers les hommes qu'envers les femmes ? Nous traitons rapidement ces dernières de stupides lorsqu'elles commettent un impair. Pourtant, les hommes doivent faire bon nombre de conneries avant que nous passions des éclats de rire à une remise en question de leur intelligence (pour certains, bien sûr). Nous avons le pardon beaucoup plus facile pour les bêtises masculines que féminines. Je comprends qu'il existe le jeu naturel du charme entre les sexes, ce qui explique notre grande tolérance envers la gent masculine, mais rien ne nous empêche de désamorcer ce mécanisme pré-établi des jeux de « charme ». Essayons de voir les femmes de manière différente, devenons plus indulgentes, ainsi nous serons moins portées à les détruire.

Accumulations et écœurement

Tout comme dans les relations en milieu de travail où nous montons des dossiers pour ensuite cracher notre venin pour un oui ou pour un non, c'est semblable dans les relations d'amitié.

Ce fameux dossier est habituellement utilisé par les femmes qui cherchent à détruire leur supposée rivale. Au fond, ces femmes ne font que déverser leur malaise existentiel, mais d'une très mauvaise manière. Pour être efficaces, elles trament leurs machinations dans l'ombre afin que l'adversaire, placée au pied du mur, ne puisse défendre son honneur, son intégrité ou son emploi.

Nous accumulons jusqu'à l'écœurement total. Nous sommes les championnes de la tolérance qui se termine en un trop-plein, qui éclate un beau jour avec fracas. Nous acceptons des remarques déplacées, des commentaires désobligeants et parfois même du mépris sans nous en rendre vraiment compte.

Cette dévalorisation pernicieuse et sous-entendue est souvent déguisée en compliments hypocrites. Si nous les regardions à la loupe, nous verrions qu'il s'agit simplement d'un commentaire négatif issu de la jalousie. Il existe également plusieurs formes de jalousie dans le domaine de l'amitié. Les deux formes les plus connus sont, évidemment, la jalousie physique si chère à la femme — car toute notre éducation sociale repose sur l'apparence —, et la jalousie de la réussite sociale, qui englobe la réussite familiale (conjoint et enfants) sans oublier les biens matériels (maison, automobile, argent, voyages, carrière, et j'en passe). Nous ne sommes pas sans connaître la fameuse blague du voisin gonflable (celui qui désire la même chose que son voisin, mais en plus gros et plus grand), mais il existe également des amies gonflables. Elle a un « chum », vite ça nous en prend un. Même chose pour les enfants. Pourtant, le bonheur et les réussites des autres devraient nous rendre heureuses et non envieuses. En voici un exemple concret.

* * *

Dévalorisation amicale

L'histoire de Rebecca

Je fis la connaissance d'Aurélie, à l'âge de dix ans. Nous sommes rapidement devenues inséparables. Peu importait ce qui m'arrivait, elle était toujours présente : une situation monétaire délicate, une peine d'amour, un énième déménagement, elle venait à mon secours. Cela lui donna une emprise sur moi et la força à adopter une position de femme forte et inatteignable, position amplifiée par son orgueil.

Ma vie connut des périodes noires, des moments intenses près du gouffre et, toujours, Aurélie répondait « présente ». Lorsque j'étais en situation d'infériorité, notre relation évoluait parfaitement bien. Par contre, lorsque j'étais en position de contrôle sur les événements, nous avions de grandes disputes et nos critiques mutuelles allaient bon train. Nous passions de longues périodes sans nous parler, car des froids glaciaux s'installaient entre nous.

Puis, Aurélie est devenue très perturbée dans sa vie de couple et dans sa vie professionnelle. Ses petites pointes affluaient de partout et de manière régulière. Des commentaires sur mon poids — j'étais trop mince ou trop grosse —, des critiques concernant mes changements fréquents de conjoint, mon instabilité monétaire, ma recherche constante de bien-être, de bonheur, tout ça lui tombait sur les nerfs. Une autre attitude, observée également par mes amics : Aurélie se faisait un malin plaisir à tenter de charmer mes conjoints, même s'ils n'étaient pas son genre d'hommes. Était-ce la démonstration qu'elle pouvait encore charmer ou était-ce simplement le besoin de plaire aux hommes qui m'aimaient ? Je ne saurais le dire exactement.

Je ne savais plus comment intervenir lorsqu'elle me parlait contre son « chum ». Si je lui disais que la relation tirait à sa fin, elle me répliquait que je n'aimais pas son amoureux ; si je l'invitais à continuer sa relation, elle me répondait qu'elle n'en pouvait plus. Quoi qu'il en soit, je ne comprenais jamais rien, selon elle, et mes commentaires étaient toujours mal perçus. J'avais appris, autant que possible, à me taire, mais parfois j'éclatais, et les longues semaines de silence qui en découlaient étaient devenues monnaie courante. Pourtant, lorsque mon tour venait d'avoir besoin, j'écoutais ses commentaires jusqu'à la fin et je ne manquais pas de lui demander conseil.

Après quinze années de vie commune avec son conjoint, leur couple battait de l'aile et une rupture s'ensuivit. Même si nous étions en bons termes à ce moment-là, elle ne me téléphona pas. J'ai appris la nouvelle trois mois plus tard par son « ex » qui me contactait pour autre chose. Je fus profondément blessée, puis choquée. Comment pouvait-elle me cacher un si grand événement dans sa vie et, en même temps, me considérer comme une excellente amie, moi qui lui avais tout raconté de ma vie, dont mes déboires, mes peines, mes succès, mes projets ? J'en suis arrivée à la conclusion d'une inégalité dans la relation. Voilà.

Je l'ai contactée deux mois plus tard pour lui souhaiter un joyeux anniversaire et lui demander des nouvelles. Rien, absolument rien, aucune révélation sur son état matrimonial. Je me suis fâchée et je lui ai partagé ce que j'avais appris, étonnée par son silence et son isolement. Elle ferma rapidement le dossier en me disant qu'elle ne pouvait pas en parler.

Deux mois plus tard, elle me téléphona et nous avons convenu d'une date pour un souper à ma maison de campagne. Elle arriva en talons hauts, jupe très courte, dos dénudé, sur le chemin de gravier. Je n'ai pas très bien compris, mais peu importe. Le mode « je charme ton conjoint » s'enclenche encore une fois, puis les remarques désobligeantes à mon sujet reprennent. De mon habillement qui ne m'avantage pas à mon incompétence dans ma carrière, nous étions en plein festival de pointes et de coups bas. Durant le repas, elle tenta de se lier de complicité avec mon conjoint, c'est-à-dire de me tasser carrément.

Finalement, j'ai décidé de lui dire ce que je pensais, depuis le temps que je gardais tout à l'intérieur sous prétexte de sauver notre amitié. Du même coup, je savais que j'allais briser une amitié de longue date, mais je préférais me choisir plutôt que d'accepter encore d'être ridiculisée devant mon conjoint. Alors qu'elle devait dormir chez moi, elle quitta les lieux avant le dessert, bien que je l'aie prévenue que, si elle partait — comme à son habitude lorsqu'un de mes commentaires n'abondait pas dans son sens —, elle me voyait pour la dernière fois, qu'elle ne remettrait plus les pieds chez moi.

Le lendemain, je me suis levée avec une immense plénitude et un soulagement sans nom. J'aurais certainement pu faire les choses plus doucement, j'en conviens, mais l'accumulation et l'écœurement m'ont conduite à cette décision radicale.

— R. A.

* * *

Le dénigrement et les remarques désobligeantes s'observent fréquemment dans les amitiés féminines. Causés par la jalousie, les commentaires négatifs sont très souvent déguisés en blagues… plates. Mais puisque toute la galerie trouve cela amusant, nous acceptons d'en être la cible, de devenir le bouffon comme si nous étions rémunérées pour être le moteur du divertissement. Nous devons être capables de distinguer les vrais mots d'humour d'un coup bas.

Par ailleurs, l'accumulation des frustrations ne sert pas à grand chose sinon à accepter d'être blessées pendant plusieurs années et, par la suite, blesser à la mesure de l'intensité de notre propre souffrance. Nous ne pouvons rien retirer de très positif dans ce comportement. Au contraire, cela laisse entrevoir un manque de sagesse et de maturité; une incapacité de prendre nos sentiments en mains.

Facilité avec Internet

Pouvons-nous vivre sans Internet? Très peu d'entre nous, certainement. Ceux qui n'y sont pas encore branchés à la maison sont plutôt rares. Mais au bureau, tout le monde travaille avec cet outil. Malgré les nombreux avantages de cette technologie, il existe tout de même des inconvénients.

La rapidité avec laquelle se transmettent les communications sur Internet est impressionnante. Pensons au clavardage où les échanges sont instantanés, tout comme au téléphone. Pourtant, l'avantage avec la téléphonie, c'est que le ton de la voix tempère les mots. Par écrit, nous n'avons que les mots sans le ton. Combien de fois avons-nous tenté de faire une blague qui a mal tourné et qui a indisposé notre correspondant? Cela m'arrive encore aujourd'hui, certes moins souvent, mais j'arrive tout de même à me mettre les pieds dans les plats à l'occasion. Inutile de mentionner que c'est tout à fait involontaire.

J'ai pu observer qu'Internet favorise la dispute, suivie de regrets. Bon nombre d'entre nous ont lancé des réponses cinglantes à des attaques spontanées. Ainsi se sont brisées des amours et des amitiés à la vitesse de l'éclair. Rosalie me raconta qu'elle avait perdu une amitié ainsi lorsqu'elle a reçu un message d'une amie contenant des propos accusateurs remplis de sous-entendus et bien emballés dans de l'agressivité. De toute évidence, la douceur n'était pas au rendez-vous. Au lieu d'attendre une journée ou deux avant de répondre, transportée par la colère, Rosalie a répliqué sur-le-champ et, en appuyant sur « envoyez », les regrets montaient déjà en elle. Il était trop tard. Personne n'a cherché à récupérer le pneu crevé.

Prenons la saine habitude d'attendre avant de répondre à un message électronique pour ne pas commettre d'impair. D'ailleurs, nous pourrions appliquer ce principe à bon nombre d'éléments dans notre vie. Accordons-nous vingt-quatre heures pour laisser descendre les sentiments spontanés, et permettre à la sagesse de prendre place. Dernièrement, j'ai pu expérimenter ce judicieux conseil. En recevant un message que je n'attendais absolument pas, mon cœur s'est presque arrêté. J'en ai même ressenti des manifestations physiques. La première idée qui m'a traversé l'esprit à ce moment-là n'était certes pas la meilleure.

Sur le coup, j'ai cru à une catastrophe et j'ai voulu répondre à ma correspondante sèchement. Finalement, j'ai pris la décision de poursuivre simplement mon travail en mettant de côté cet incident. Étrangement, trois heures plus tard, un sentiment qui ressemblait à une certitude monta en moi. Ce qui se passait était la meilleure chose qui pouvait arriver. Si les choses arrivaient ainsi, c'était pour le mieux et je l'acceptais. Je suis retournée à ma boîte électronique et j'ai répondu très gentiment que j'acceptais la situation, que je respectais sa décision. Je ne sais toujours pas si c'était ou non la meilleure décision, mais je sais que je suis encore en bons termes avec cette femme et que je me sens très bien face à l'événement.

Avant de « régler » le cas de quelqu'une, prenons le temps d'écouter ce qu'elle a à dire. Ne soyons pas aussi radicales, aussi tranchantes, aussi intransigeantes; et je sais de quoi je parle… Au cours de notre jeunesse, nous avions une certaine propension à juger rapidement et à condamner sans aucune forme de procès. Nous étions des dures à cuire. Malheureusement, par cette attitude, nos pertes ont été plus importantes que nos gains. Aujourd'hui, nous devons le comprendre en faisant le bilan de nos expériences. Nous devons prendre conscience que la rapidité avec laquelle nous pesions sur la gâchette ne nous a pas nécessairement servi. Prenons le temps d'écouter pour comprendre la situation, pour percevoir les besoins de l'autre avant de nous lancer dans une prise de décisions que nous risquons de regretter.

Hormones et émotions

Il est impossible d'éviter le sujet épineux des hormones — qui ont le dos bien large d'ailleurs, nous devons en convenir. Les périodes prémenstruelles, la grossesse, la période post-partum, la ménopause, nous affectent toutes. Oui, il faut le reconnaître, mais prenons garde de ne pas leur faire porter tous les maux de la terre. Il existe des suppléments, des vitamines, des méthodes naturelles ou non, pour atténuer ce genre de malaise. De manière générale, plusieurs outils sont à notre portée pour soulager les symptômes reliés aux dérèglements hormonaux. Nous sommes nombreuses à pouvoir les utiliser sans risque d'allergies et ça fonctionne.

Bien sûr, nous devenons beaucoup plus sensibles, émotives, à fleur de peau, agressives, intolérantes, nerveuses, mais nous devons tenter d'alléger ces états autant pour notre confort que pour le bien-être de notre entourage. Il m'est arrivé d'observer que certaines femmes cachent leur agressivité refoulée et leurs frustrations derrière ces périodes et les utilisent comme prétexte pour se permettre d'exploser. Un bel abus qui joue contre nous et qui donne un résultat non souhaitable. Quelle femme n'a pas répondu ou crié de rage en se faisant demander : « Es-tu dans tes SPM ou quoi ? »

Vraisemblablement, cette extrême sensibilité émotionnelle ne justifie pas la méchanceté que nous manifestons les
unes envers les autres. Certes, nous possédons un tempérament plus émotif, une sensibilité plus intense (je parle toujours
de manière générale, car j'ai connu des hommes plus émotifs
que certaines femmes), ce qui, me semble-t-il, devrait nous
rendre plus humaines. Je repense à mon grand-père qui était
beaucoup plus chaleureux et aimant que ma grand-mère. Tout
jeunes enfants, nous étions davantage attachés à lui. À l'époque, nos esprits d'enfants sans préjugés n'étaient pas étonnés
de la nature inversée des tempéraments, car il s'agissait d'un
état de fait, quelque chose de tout à fait normal.

Avec du recul, nous constatons que l'effet des hormones,
lesquelles jouent sur notre caractère et notre humeur au moins
une fois par mois, est accentué selon notre manière générale
d'embrasser la vie. Nous pouvons observer que plus notre vie
est épanouie et équilibrée, moins nos sensibilités et nos désé-
quilibres hormonaux sont accentués. Par ailleurs, nous devons
davantage être à l'écoute de ces manifestations, si bien que,
lorsque nous commençons à ressentir une intolérance générale
associée à une période hormonale, nous pouvons adoucir nos
réactions grâce à certaines vitamines et produits pharmaceuti-
ques recommandés par notre spécialiste de la santé.

Délaisser les dossiers

Si notre fabuleuse mémoire de femme est particulièrement
utile dans la plupart des cas, avouons tout de même que cela
devient fastidieux au fil des ans lorsqu'il s'agit de monter des
dossiers. Chercher à tout prix à se souvenir de ce qui a été dit il
y a dix ans ne sert à rien si ce n'est d'entretenir de mauvais
souvenirs, de la haine ou de la colère. Pouvons-nous apprendre

à lâcher prise, à délaisser les dossiers « chauds » pour favoriser davantage les règlements pacifiques au fur et à mesure qu'ils se présentent, que ce soit à propos d'interprétations erronées ou de blessures reçues ?

J'avais une amie extrêmement rancunière, si bien que nous nous étions fait la promesse que si je disais ou faisais quelque chose qui la blessait, elle allait m'en parler sur-le-champ. Je n'aurais pas dû lui faire confiance. Durant une période de treize années, nous avons été comme deux sœurs ; même nos déménagements ne venaient pas à bout de notre amitié. Puis, à la suite d'une dure épreuve, j'ai quitté la région urbaine pour m'exiler dans les bois durant quelques années. J'avais choisi de vivre en réclusion presque totale le temps de panser mes plaies. Parfois, nous nous téléphonions et, lorsque je passais dans la grande ville, nous mangions ensemble. Je sentais son éloignement mais sans plus. Ne m'étais-je pas moi-même mise en retrait ?

Trop préoccupée à prendre soin de moi-même, je l'avoue, j'étais peu réceptive aux misères des autres. Mon lot de douleur était total. Puis, un jour, je lui ai laissé un message dans sa boîte vocale au bureau pour lui annoncer une excellente nouvelle. J'ai attendu quelques semaines, la croyant en vacances. Puis, j'ai contacté la réceptionniste pour me faire confirmer qu'elle était bien au bureau. Après trois messages, j'ai compris qu'elle m'avait simplement éliminée de sa vie. Je ne comprends pas les raisons de ce rejet, et encore moins son incapacité à me parler pour éclaircir la situation. Pendant plusieurs mois, je me suis demandé ce que j'avais bien pu faire ou dire qui l'avait blessée autant. En passant en revue nos dernières rencontres et conversations, j'ai tenté en vain de trouver une phrase ou une action qui aurait pu me coûter son amitié. Je n'ai rien trouvé.

Finalement, plusieurs années plus tard, je me suis rendue à ses bureaux pour autre chose, et je l'ai vue. D'emblée, je lui ai souri. Elle n'a pas retourné mon sourire et a passé à côté de moi comme si je n'existais pas. La politesse nous a enseigné à saluer des clients, même si nous n'avons pas mangé avec eux la veille. Après toutes nos années de profonde amitié, je ne valais même pas un « bonjour » de savoir-vivre. J'en suis demeurée estomaquée.

En rentrant chez moi, j'ai travaillé fort pour me déculpabiliser d'un acte que j'ignorais avoir commis et de la douleur d'être ainsi ignorée par une femme qui avait été comme ma sœur. Peut-être avait-on dit quelque chose à mon sujet? Je ne sais pas. Je suis nécessairement arrivée à la conclusion qu'elle avait dû monter un dossier et, possiblement, que la dernière de mes gaffes n'était pas grand-chose — c'est pourquoi je n'ai aucun souvenir —, mais que cela avait probablement été la goutte qui a fait déborder le vase. Son vase.

Personne n'est parfait, et si nous montons autant de dossiers les unes contre les autres, que restera-t-il des relations durables et sincères? Il ne faudrait pas perdre de vue que les relations durables et profondes sont basées sur l'honnêteté, l'ouverture, la parole, l'écoute et la sincérité. Une femme me faisait remarquer que les hommes étaient plus courageux que nous. Ce n'est pas vrai. Nous le sommes tout autant — même que certaines femmes pourraient dire que nous le sommes davantage —, c'est simplement que nous devons nous entraîner à dire les choses au fur et à mesure, sur un ton convenable, on s'entend bien. Attention, il ne s'agit pas de dire tout ce qui nous passe par la tête, mais lorsque nous sommes blessées ou choquées, soyons simplement assez franches pour l'avouer honnêtement. Si la personne offre des excuses parce que son intention n'était pas de blesser, acceptons-les et sachons passer à autre chose. Ne revenons pas sur cet événement sans relâche.

Si, au contraire, nous refusons les excuses, ne partons pas dans une campagne de salissage. Réglons simplement la situation en ne faisant plus figurer cette personne sur la liste de nos amies. À quoi cela servirait-il de la lapider? Nous n'avons pas besoin de détruire, de démolir, de liquider, d'anéantir notre « adversaire » pour nous valoriser ou pour nous donner raison. Humblement, reconnaissons que certaines femmes ne cadrent pas bien dans notre vie, que nos valeurs ne correspondent pas et que le fait de ne plus compter cette femme parmi nos amies suffit à nous redonner une certaine paix intérieure.

Dans le même ordre d'idées, que pouvons-nous faire des ex-conjointes que nous n'avons pas choisies dans notre vie et avec lesquelles, malheureusement, nous devons composer? Comment les garder à distance ou carrément s'immuniser contre leur volonté à vouloir parfois semer la discorde dans notre nouvelle vie à deux?

CHAPITRE 6

Les ex-conjointes

Comment aborder les relations entre femmes sans parler des ex-partenaires? Impensable, n'est-ce pas? Quelle femme n'a pas souffert de l'attitude désobligeante d'une ex? Ici encore, mes tentatives de discussions et d'échanges en chatouilleront plus d'une. Marquées au fer rouge, plusieurs refusent d'aborder le sujet tandis que d'autres envoient aisément les détails de leur mauvaise expérience vers la porte de sortie. En se distanciant, il est possible d'analyser différentes situations pour comprendre qu'effectivement, certaines femmes entretiennent une attitude méchante et destructrice, alors que l'homme aime bien laisser son ex jouer avec les nerfs et la sensibilité de la nouvelle conquête. Très souvent, le nouveau conjoint contribue largement à ouvrir la porte à des relations tendues entre sa nouvelle flamme et son ex-partenaire, ce qui ne manque pas de le valoriser, voire même d'animer son imagination.

À la minute où nous avons exprimé nos émotions, nos sentiments et nos impressions, que pouvons-nous faire d'autre à part lâcher prise? De manière générale, côtoyer les ex par bonté ou pour être *cool* réfère à un certain risque de se brûler les ailes. Oui, c'est la mode d'être « ouvert », mais quel prix sommes-nous prêtes à payer pour être libres d'accueillir l'ex dans notre nouvelle vie à deux ? Bon, ne soyons pas alarmistes. Certains couples peuvent se prévaloir d'un tel ajout, mais avant de nous lancer dans cette aventure, demandons-nous si nous possédons le tempérament pour affronter la houle qui traversera peut-être un jour notre vie. Passerons-nous à travers sans nous noyer ? Demeurons honnêtes avec nous-mêmes. Si nous ne pouvons pas tolérer la présence d'une tierce personne dans notre vie de couple, respectons cet état de fait et exprimons-le clairement.

COMPLEXITÉ DES SENTIMENTS

Même si nous savons que la jalousie ne figure pas sur la liste des sentiments honorables et sains au cœur d'une vie de couple, il n'est pas simple de l'éloigner pour autant. Cela demande de la détermination, de la patience et un déconditionnement de tout ce que nous avons appris jusqu'à ce jour au sujet de l'amour. Et cela suppose une très grande complicité entre les deux conjoints. Les sentiments que nous éprouvons pour une personne demeurent une expérience remplie de complexité et de dualité omniprésente à travers les multiples sentiments qui meublent la vie à deux.

Si nous devons, en plus, marchander avec une ex qui tente de faire des vagues ou carrément d'amener le couple à la séparation, il devient compréhensible que les esprits s'échauffent et que la rupture devienne une sortie de secours à emprunter au plus vite. Nous devons sauver notre peau, et si notre conjoint ne le comprend pas, ce n'est pas notre responsabilité.

* * *

Lorsque l'ex prend tout l'espace

L'histoire de Christiane

Peu de temps avant le début de nos fréquentations, alors que Gilbert me faisait la cour — à moi comme à d'autres femmes, d'ailleurs — il me lança de manière spontanée, au sujet de la mère de son fils avec qui il n'habitait plus depuis fort longtemps :

« J'ai hâte que tu la rencontres, tu vas l'adorer. Nous nous entendons très bien, elle est une femme extraordinaire... elle va t'aimer. D'ailleurs, Catherine et moi, nous nous aimons beaucoup.

— Mais pourquoi n'habitez-vous pas ensemble ?

— Parce que c'est fini ! »

Cette scène aurait dû me revenir à la mémoire lorsque nous avons commencé nos fréquentations. Eh bien, non ! Je vous fais grâce de toutes les manigances subtiles et hypocrites que cette femme, encouragée par l'inaction de Gilbert, a utilisées contre moi durant les deux années où nous avons formé un couple, même si certaines sont simplement dignes de mention. Plusieurs complicités matérielles étaient déjà existantes entre eux depuis plusieurs années, dont le prêt d'un chalet au bord d'un lac. Un soir, elle téléphona à la maison et demanda à parler à monsieur Gilbert M. Évidemment, ne connaissant pas sa voix, je passai le récepteur à Gilbert.

Enfermé dans le bureau, il s'ensuivit une conversation d'une heure. Selon ses dires, Catherine pleurait, car il avait décidé de vendre le chalet et elle avait peur de ne pas avoir le temps de récupérer ses effets personnels assez rapidement, c'est-à-dire quelques vêtements. La soirée fut complètement gâchée à discuter de son ex. Une dispute éclata à savoir pourquoi elle devait continuer à être omniprésente dans notre couple.

Entre les appels téléphoniques incessants, Gilbert recevait des lettres de Saint-Valentin, des cartes d'anniversaire, de Noël, de Pâques, et j'en passe. Évidemment, lorsque j'exprimais mon mécontentement, j'étais la fautive, car je ne comprenais rien à sa relation qui avait duré presque trente ans et qui avait vu naître un fils, aujourd'hui âgé de vingt-trois ans. Il me traitait de jalouse et de possessive, en me disant que je fabulais sur quelque chose qui n'existait que dans ma tête en plus de machiner de sombres scénarios.

Puis, un lundi matin, alors que Gilbert sortait de la maison pour se rendre au travail, le téléphone sonna. Je répondis :

« Bonjour !

— Bonjour, est-ce que je peux parler avec monsieur Gilbert M. ?

— Un moment, s'il vous plaît. Je ne reconnus pas sa voix et j'étais à cent mille lieues d'imaginer qu'elle aurait le culot de nous déranger aussi tôt le matin. »

Même scénario. Je cours le chercher, puis il s'enferme dans son bureau. Lorsqu'il s'apprête à partir sans me parler, je lui demande :

« Qui était-ce ?

— C'était Catherine, me répondit-il un peu embarrassé.

— Bon, que voulait-elle cette fois-ci, par un lundi matin à neuf heures ?

— Elle voulait connaître le nom de l'hôtel où nous avions dormi à Los Angeles.

— Ah, bon ! En quelle année ?

— Il y a certainement une bonne quinzaine d'années.

— Toi qui te souviens à peine de ton nom, comment peut-elle imaginer que tu te souviennes de cela?

— Je ne le sais pas. Comment pourrais-je le savoir? Tu ne vas pas recommencer?

— Recommencer quoi au juste? Madame appelle ici quand bon lui semble, et même à neuf heures du matin.

— Tu exagères. Ça lui ferait plaisir de savoir que ses appels t'affectent autant.

— Je n'en doute pas une seconde, mais toi, tu la laisses téléphoner ici selon ses humeurs. De plus, elle doit être intelligente, cette femme, pourquoi insiste-t-elle pour t'écrire et te téléphoner si tu ne réponds pas à ses envois comme tu le prétends? J'aimerais bien comprendre. »

Je détectai une complaisance dans ses yeux, une joie de constater ma jalousie et une certaine admiration devant le besoin de Catherine. C'est alors que tout a pris forme dans ma tête. Il jubilait d'avoir au moins deux femmes à ses pieds. Elle cherchait à détruire notre couple et lui en raffolait. Le jeu devenait tellement clair, si limpide que mon détachement s'effectua assez rapidement.

Les lettres continuèrent d'arriver à la maison, les appels téléphoniques de plus en plus secrets ne m'énervaient plus. Un bon matin, je lui dis simplement :

« Je vous laisse, Catherine et toi. Moi, je ne l'ai pas choisie dans mon couple et je ne souhaite certainement pas avoir cette femme dans ma vie.

— Tu es complètement folle et obsédée par Catherine. Elle occupe la place que tu veux bien lui laisser prendre. Elle n'est pas là, elle n'existe même pas. Ce n'est rien, je la laisse aller, il faut l'ignorer.

— Tu as parfaitement raison. C'est pourquoi je viens de décider qu'elle n'occupera plus de place du tout dans MA vie. Depuis le début, je te le répète, elle est malheureuse et enragée de te savoir heureux. Elle a tout fait en son pouvoir pour nous séparer. Voilà ! C'est fait. Mission accomplie. Tu peux lui téléphoner pour lui annoncer la nouvelle, elle s'en réjouira très certai-nement. »

En effet, lorsque je l'ai quitté, il a repris les fréquentations (soupers et pratiques du ski) avec Catherine, que je ne saurais qualifier d'amicales ou d'amoureuses. Quelques mois plus tard me revinrent à l'esprit les confidences d'un des amis de Gilbert sur le fait que Catherine était toujours très présente dans sa vie et que personne ne savait vraiment s'il s'agissait d'une relation amoureuse ou autre.

— C. C.

* * *

Un nombre considérable d'hommes parviennent mal à couper les ponts avec leur ex. Étrangement, nous parlons souvent des femmes tendres, sensibles et romantiques, et nous trimbalons même l'idée que, dans sa vie, la femme n'aime qu'un seul homme. J'ai observé davantage d'hommes attachés à leur première flamme que de femmes à leur premier amoureux. Souvent, en amour, nous savons davantage comment prendre une décision et ne pas revenir en arrière. Notre côté tranchant sert notre cause dans ce cas précis.

* * *

La bonté a ses limites

L'histoire de Patricia

J'ai déniché un emploi à l'ex de mon nouveau conjoint pour le rassurer, car il se sentait terriblement responsable financièrement et coupable de l'avoir laissée pour une autre femme — relation qui, d'ailleurs, n'a pas fonctionné. Cet emploi était au sein de l'entreprise où je travaillais. Il avait pourtant questionné ma capacité de travailler avec elle dans le même édifice, quotidiennement. Je voulais éliminer un stress dans notre vie de couple. Quelle gaffe ! L'ex téléphonait à la maison, en mon absence, et travaillait pour lui en cachette. La journée où j'appris la nouvelle, la chaumière a été ébranlée à un point tel qu'on pouvait nous entendre dans tout le quartier.

Par la suite, madame me faisait remettre des lettres adressées à son ex par personne interposée. Avec toute la discrétion du monde, je rapportais l'enveloppe bien cachetéc à la maison. Simon s'enfermait dans le bureau pour la lire. Aucun mot sur le contenu de la lettre. Cette situation se produisit au moins à trois reprises jusqu'à ce que je perde patience.

« As-tu l'intention de garder secret encore très longtemps le contenu de ses lettres ?

— Non, je ne voulais pas te perturber avec ça.

— Ne crois-tu pas que ton silence et mon imagination ne me perturbent pas ?

— Je n'y avais pas pensé.

— Depuis quelques semaines, je me torture en imaginant toute sorte de choses.

- - Je suis désolé.

— Je comprends ton intention. Il n'en demeure pas moins que je vis cela comme un manque de considération à mon égard et à l'égard de notre vie de couple, que nous tentons de développer dans la franchise, sur une base de transparence.

— Je sais, mais j'avais peur de ta réaction. »

En fin de compte, j'appris que son ex lui devait de l'argent et qu'elle refusait de le lui rendre par manque de fonds. Alors, je l'entendais sans cesse tempêter, entre autres sur le manque de considération de son ex et sur son besoin personnel d'argent. Même si je lui proposais des solutions, rien n'y faisait, si bien que cette situation occupa régulièrement nos soirées, et parfois même nos week-ends.

Peu à peu, la distance entre eux a gagné du terrain. Elle n'a jamais remis l'argent qu'elle lui devait et il a cessé d'en parler. Mais le mal était fait. J'ai développé une certaine aversion pour elle sachant qu'elle devait de l'argent à mon amoureux. Mes sentiments envers cette femme et Simon étaient devenus très négatifs. Ils alternaient de la colère à la compréhension. Mon inconfort se traduisit en une perte de confiance en Simon. La simple idée qu'il avait refilé à son ex les tâches que moi-même j'avais demandé d'accomplir m'horripilait. Finalement, même si les choses se sont replacées, il n'en demeure pas moins que les assises de notre relation étaient construites sur des sables… mouvants.

— P. N.

* * *

PROPAGER LE MALHEUR

J'ai souvent cru, à tort ou à raison, que les gens malheureux représentaient un certain danger. En fait, lorsque la jalousie nous tenaille, il est souvent difficile d'observer le bonheur de notre ex sans vouloir mettre le feu aux poudres. Puisque nous sommes malheureuses, l'autre n'a pas le droit d'être heureux. Une femme dans mon quartier me raconta que l'ex de son mari les avait forcés à vendre leur domaine à la campagne. Elle leur avait dit, menaçante : « Je vous ferai tout perdre. » Évidemment, les premières interventions avaient une résonance de *bitchage*, mais par la suite, le tout a déversé dans de la méchanceté et la volonté de tout détruire.

* * *

Détruire pour se venger

L'histoire de Lise

J'ai rencontré Jules à la fin de l'adolescence. Il était plus âgé que moi, il sortait d'un divorce difficile et avait trois enfants issus de ce mariage. Nous avons commencé à nous fréquenter et, rapidement, notre désir de s'installer à la campagne, à l'abri de tout, a pris de l'importance. La petite maison que nous avions achetée est devenue un beau domaine puisque nous possédions temps et argent pour la rénover et en faire un nid douillet pour notre fille, Cloé, qui venait de naître.

Durant la journée, je gardais des enfants afin de pouvoir rester à la maison avec Cloé. Même si Jules travaillait à l'extérieur, il lui arrivait de m'aider durant ses jours de congé à la garderie. Ses deux fils venaient passer les week-ends avec nous. Sa fille me détesta dès le départ, car sa mère lui avait parlé négativement à mon sujet et lui interdisait de venir voir son père à cause de moi. Ainsi, Jules devait aller rencontrer sa fille à l'extérieur de la maison.

Cloé grandissait et l'atmosphère se corsait. Les problèmes financiers commençaient à peser lourd sur nos épaules. L'ex était venue chercher ses fils un dimanche soir et avait révélé à

Jules : « Quelle belle maison ! Un jour je vous la ferai perdre. »
Jules m'avait assurée à l'époque qu'elle ne pouvait rien contre
lui. Il payait régulièrement sa pension alimentaire, établie selon
la cour, et rien ne clochait. Elle n'avait donc aucune prise sur
lui. Pourtant, les demandes, les exigences et les obligations de
son ex devenaient plus importantes, si bien que Jules tomba
malade et dut demeurer à la maison durant presque une année.
La garderie ne couvrait plus les frais reliés à notre hypothèque et
aux dépenses. Le salaire de Jules avait diminué au point de
devoir vendre notre domaine à la campagne pour nous installer
dans un condo bien modeste en banlieue.

Malgré les années passées, l'ex tentait toujours de faire du tort à
notre couple, cette fois-ci en prenant à partie les études collégia-
les des enfants. Au bout du compte, les ennuis n'ont jamais
cessé et sa volonté de tout détruire a atteint son apogée. J'ignore
si elle passait ses journées à manigancer notre perte, mais ce qui
devait arriver arriva. Jules et moi, submergés par les disputes et
les problèmes, avons décidé de nous séparer. Aujourd'hui, nous
avons la garde partagée de Cloé et nous avons refait notre vie
chacun de son côté.

— L. S.

* * *

Construire une vie de couple représente déjà un défi
sérieux, même sans embuche volontaire. Trouver l'harmonie
entre les conjoints, se synchroniser et apprendre à vivre
ensemble relèvent de l'exploit. Si, en plus, une âme délibérément méchante décide de jeter de l'huile sur le feu, nous sommes presque à coup sûr assurés d'un échec.

Je présume qu'il existe bon nombre de motifs derrière un
tel comportement, mais les plus évidents me semblent être la
jalousie et l'envie. Dans ce cas précis, l'idée de base est

clairement énoncée et nous entendons en sourdine, tel un écho : « Je ne suis pas heureuse, tu ne le seras pas non plus. » Bien sûr, c'est l'ex-mari qui est visé, mais aussi la nouvelle conjointe qui écope et subit les affres de son mal-être. Même si nous imaginons des solutions pour contrer tant de méchanceté et de mauvaise foi, nous nous retrouvons devant une impasse. Dans ce cas précis, est-ce qu'une autre fin aurait pu être envisagée ? Peut-être. Quoi qu'il en soit, la patience a ses limites, la profondeur et l'intensité de l'amour également.

Assez difficile d'imaginer que de tels scénarios soient authentiques et, pourtant, lorsque je discute de ces témoignages avec des femmes, elles me disent connaître une histoire identique. N'est-ce pas inquiétant ? Bizarrement, aucune expérience n'est unique, qu'il s'agisse de connaissances, d'amies, de voisines, de parents, de consœurs. Nombreuses sommes-nous à vivre des situations similaires.

TOUT PERDRE, NE RIEN GAGNER

En plus des ex qui détruisent des couples, il a souvent été porté à notre attention que certaines célibataires s'amusent à briser des vies familiales. L'idée derrière ce comportement malsain repose sur plusieurs facteurs. Cependant, le plus récurrent est certainement le mal-être (mal dans sa peau) et la résultante dans ce cas précis est la dépendance à charmer. Pour avoir la sensation d'exister, certaines femmes doivent se sentir désirées, désirables, belles, et plusieurs ne carburent que par les jeux de charme.

* * *

Je charme et j'abandonne

L'histoire de Sonia

Roland et moi avions une fillette de trois ans lorsque je suis tombée enceinte de nouveau. Nous ne l'attendions pas, mais nous étions très heureux et espérions que ce soit un garçon. Dans le milieu de travail de mon mari, presque tous ses collègues étaient des femmes. Enceinte, je devenais assez ronde et j'enviais la minceur des autres femmes, surtout celles travaillant dans le bureau de Roland. Mais notre amour était tellement solide que je ne craignais rien.

L'incontournable party de Noël arriva et, durant la soirée, j'ai observé une très belle femme, nouvellement arrivée dans l'entreprise, tourner autour de mon mari. Le soir même, je lui en ai glissé un mot pour me faire répondre que je n'avais pas à m'inquiéter, qu'elle était comme ça avec tous les hommes et que, de toute façon, notre amour était beaucoup plus solide que les tentatives de charme de cette arriviste. Je me sentis rassurée. Quelques mois seulement s'écoulèrent avant que je me rende compte que Roland avait changé; il était moins affectueux, moins présent, et je ne percevais plus l'honnêteté dans ses yeux.

En fin de compte, l'accouchement occupa à ce point notre temps et nos énergies que je mis de côté mes soupçons. Deux mois plus tard, Roland m'apprend qu'il est amoureux de cette femme que j'avais remarquée au party et qu'il me quitte. Je suis tombée dans une profonde déprime, mais je n'avais pas vraiment le choix de continuer à vivre pour mes deux enfants. Nous avions la garde partagée de l'aînée, mais comme j'allaitais le bébé, la situation n'était pas évidente.

Les mois passèrent et j'appris que sa nouvelle flamme l'avait laissé tomber. Leur passion avait duré six mois au total. Comme un vieux torchon, la charmeuse l'avait balancé, prétextant que les enfants n'étaient pas son truc et que, de toute façon, il lui tapait vraiment sur les nerfs. Puis, elle reprit son charme auprès des autres hommes dans l'entreprise, laissant un Roland complètement défait. Il s'absenta du travail bon nombre de journées chaque mois, ne se rasant plus, se lavant et mangeant à peine. Ses collègues ne le reconnaissaient plus. Il était devenu une loque humaine.

Il tenta alors de revenir avec moi. J'ai refusé. Il lui a fallu un an avant de reprendre pied et de se sauver lui-même. Encore aujourd'hui, je me demande ce que cette femme a gagné à part briser une relation, pour le plaisir, semble-t-il. Et comment mon mari a-t-il pu tomber dans ce piège? Je n'ai jamais vu venir ce qui a détruit notre vie amoureuse et familiale.

— S. B.

* * *

Plusieurs femmes adorent charmer, et c'est là leur moteur, leur manière de se prouver à elle-même qu'elles sont belles, qu'elles sont désirables. Oui, nous avons toutes et tous besoin de plaire, de charmer, de nous sentir aimés, mais de là à détruire une vie familiale pour le plaisir de s'approprier un homme, il s'agit d'une problématique assez sérieuse. L'estime de soi doit être au plus bas pour agir ainsi, autant chez la femme que chez l'homme, en fait. Ici, nous ne parlons pas d'amour, mais simplement de posséder quelqu'un pour s'amuser.

RECONSTRUIRE UNE RÉPUTATION

Tout comme pour le marché du travail, notre réputation, à nous les femmes, est passablement entachée. Ce n'est pas moi qui le dis. Nous sommes souvent perçues comme des *faiseuses de troubles*. Vraiment désolant, mais après avoir observé les agissements de plusieurs de nos pairs — pas uniquement par le biais de ces témoignages, mais d'histoires dont nous avons eu vent —, comment pouvons-nous souhaiter un verdict plus favorable? Bien sûr, nous ne sommes pas toutes du même acabit. Pourtant, ce qualificatif est attribué à la gent féminine sans autre forme de procès. Nous n'entendons pas dire : *Certaines femmes sont des faiseuses de troubles*, mais bien *« les » femmes sont des faiseuses de troubles*.

Cette réputation joue contre nous. Il est à parier que, dès le moment où nous tentons de nous exprimer, d'exposer un point de vue qui va à l'encontre de celui d'un homme, eh bien, nous passons pour des *chialeuses*, des *frustrées*, d'éternelles *insatisfaites*, et j'en passe. Certaines ont contribué grandement à la perte de notre crédibilité par des agissements douteux — qui ne réfèrent pas à l'intelligence, mais seulement à des émotions mal gérées — ou par des commérages et du *bitchage* à outrance.

Nous ne sommes pas sans connaître la fable d'Ésope, *L'enfant qui criait au loup*. Résumons l'idée principale. Le berger ne cessait de crier : « Au loup, au loup, au secours ! » Les villageois accouraient pour chasser un loup imaginaire, car le berger s'amusait. Puis, il reprenait de plus belle jusqu'à ce que plus personne ne le croie. Un jour, le loup arriva et l'enfant se mit à crier, mais personne ne vint à sa rescousse. Le loup fit un festin.

À première vue, cette histoire semble banale, mais sa signification profonde s'apparente aux interventions féminines. À force de trop crier, et surtout inutilement, plus personne ne s'intéresse à nous et ne nous entend.

L'idée que je tente de démontrer est la suivante. Après des années de refoulement, nous avons pris en main notre pouvoir et notre potentiel, ce qui est parfait. Par contre, certaines d'entre nous veulent tellement revendiquer des années de frustration qu'elles ne pèsent plus le bien-fondé de leurs actes, ce qui pourrait donner naissance à de la médisance et être lié à de l'intolérance. Si nous ne cessons pas de nous taper les unes sur les autres pour des événements qui n'en valent pas la peine, lorsqu'un vrai combat se présentera, personne ne voudra nous soutenir, nous aider. Chialer sans relâche, débattre de peccadilles et taper du pied sans raison valable rendent les motifs de revendication plutôt banals, en plus de ridiculiser ce comportement qu'on attribue aux femmes.

Ce que nous pouvons proposer pour redorer notre réputation serait certainement de réfléchir et de respirer avant de nous aventurer dans des interventions qui ne valent peut-être pas la peine d'être faites. Tentons de mesurer jusqu'à quel point la chose, l'événement, l'incident ou les paroles nous affectent vraiment avant d'en débattre. Par la suite, si la situation ne change pas, prenons des décisions sérieuses pour la modifier et respectons ce que nous avançons.

Dans l'exemple de la femme qui a décidé de quitter son conjoint — le témoignage « Lorsque l'ex prend tout l'espace » — car l'ex siège en permanence dans leur vie de couple, nous observons que la nouvelle conjointe a cessé de répéter sans cesse les mêmes phrases que plus personne n'écoute — et particulièrement son conjoint —, mais a simplement décidé d'agir pour son propre bien-être. Si vraiment une situation nous affecte au point de créer une souffrance en nous, exprimons-le, tentons de régler le problème à deux. Par la suite, si nous nous retrouvons quand même devant une impasse, alors agissons pour nous-mêmes en posant des gestes concrets.

Nous ne sommes pas sans savoir que la relation avec notre amoureux et son ex est particulièrement délicate. Le sentiment amoureux, la dépendance affective, la présence des enfants, l'incapacité à faire le deuil d'une relation sont autant de problèmes difficiles à gérer pour notre nouveau conjoint, mais là n'est certes pas une raison pour nous laisser démolir par une présence que nous n'avons pas choisie. Il n'existe pas de solution miracle, sinon d'accepter ce que nous pouvons et de nous détacher du reste le mieux possible, ou encore de nous éloigner simplement le temps que notre conjoint règle ses problèmes avec son ex, ou enfin de nous retirer définitivement de la relation.

Derrière des relations féminines aussi tordues, nébuleuses, problématiques et intensément émotives, quelles sont les intentions réelles pour qu'une femme agisse de la sorte ? Il va sans dire que renâcler, remâcher, emmagasiner et recracher avec force, colère et parfois même avec haine nos frustrations n'est pas toujours la meilleure façon d'agir.

CHAPITRE 7

Intentions derrière ces agissements

Vu de l'extérieur, le *bitchage* donne l'impression que les femmes agissent par méchanceté et pour satisfaire un besoin, voire une nécessité de parler dans le dos des autres. Plusieurs personnes m'ont dit qu'elles croyaient que la calomnie était inscrite dans les gènes des femmes. Des hommes, bien sûr, mais également des femmes. Certaines d'entre elles ont même avoué que cela leur faisait du bien un petit quinze minutes à darder l'autre de sa « langue sale », pour reprendre leur expression.

Au cours de mes conférences, quelques-uns ont crié haut et fort que les hommes également *bitchaient*, que ce n'était pas uniquement le lot des femmes. Peut-être est-ce vrai, mais nous, les femmes, le faisons de manière différente. Puisque mon sujet est consacré aux femmes, et parce que je suis une femme, je travaille à améliorer le comportement féminin; un homme est tout aussi libre d'en faire autant s'il le désire. Je travaille afin que les femmes puissent arrêter de se nuire et trouvent enfin leur place.

Des femmes ont observé et même affirmé que les hommes parlent effectivement les uns contre les autres, mais ils passent à autre chose par la suite. Ils ne reviennent pas constamment sur leurs différends en les intensifiant ou en tentant de former un clan de leur côté, comme nous l'avons déjà mentionné dans un chapitre précédent d'ailleurs. Pour leur part, les femmes ne vont pas « lâcher le morceau ». Le *bitchage* est fait de manière différente et beaucoup plus dévastatrice. Il y a une forme de harcèlement, d'obsession, dans le désir de modifier le comportement de l'« adversaire », comme une volonté de la faire plier, de la mettre enfin à leur main.

Du coup, la dynamique au sein d'un groupe d'hommes et d'un groupe de femmes est bien différente. Ainsi, bon nombre de parents m'ont confié que leurs filles préfèrent, dès l'adolescence, s'entourer de garçons plutôt que de filles. L'explication fort simple est qu'elles n'aiment pas les cancans entre filles, et que pour leur part les garçons disent ce qu'ils pensent et n'en parlent plus. L'interaction entre ces derniers est plus directe qu'avec les filles, selon les adolescentes.

La jalousie représente aussi un facteur à fuir déjà à cet âge. Je me rappelle qu'à l'âge de 17 ans, je faisais partie d'une troupe de danse et j'écoutais en silence les filles raconter des ragots sur les unes et les autres. Je me tenais loin du commérage et me questionnais sur la nécessité de parler contre les absentes. Par la suite, j'ai pris la ferme décision ne plus jamais me mêler à une activité sportive où la gent féminine y était majoritaire. Je n'ai jamais voulu m'associer à nouveau à un groupe féminin.

Lorsqu'on me demanda de quelle manière je pouvais prouver que le *bitchage* débutait dans la cour d'école, je n'ai pu que raconter quelques histoires parmi bon nombre dont j'ai eu vent. Ma fille, alors âgée de quinze ans, m'a raconté le fait suivant lors d'un souper. Sa meilleure amie avait rompu avec son copain, car une de ses amies avait couché avec lui. Elle me répéta que cette fille n'était qu'une putain, car elle avait fait l'amour avec le « chum » de sa meilleure amie. Toutes les filles s'étaient tournées contre elle.

Je lui fis remarquer que le jeune n'était pas innocent dans cette affaire. Je tentai également de la sensibiliser à l'idée que nous avons la mauvaise habitude de toujours nous lancer à pieds joints sur la fille pour la condamner de nos jugements, alors que le garçon s'en sort presque intact. Après un moment de réflexion, elle m'a dit : « C'est pourtant vrai, alors pourquoi on fait cela ? » Je n'ai pu que lui répondre : « Je ne sais pas, mais essaie de trouver tes réponses ! » Je l'ai laissée réfléchir, mon travail de sensibilisation étant fait. Suffisamment armée pour trouver elle-même des pistes de réponse, ma fille pourra ensuite partager le fruit de ses réflexions avec ses pairs.

Certes, nous pourrions conclure que cette pratique, initiée de manière dangereuse en démolissant l'autre, s'adresse surtout ou uniquement aux femmes; nous pouvons aussi nier complètement ce problème, comme plusieurs femmes le font, mais le problème demeure réel. Pour ma part, je ne peux pas confirmer ni infirmer que cette manière si spontanée d'interagir provient de nos gènes. Les seules interventions que je me permettrai de faire sont de dénoncer le problème et de soulever un questionnement afin de nous rendre pleinement conscientes et conséquentes de nos paroles et de nos actes. Le but n'est pas d'attaquer ou de condamner le comportement des femmes, mais davantage de les aider en sonnant l'alarme en signe d'urgence. La suite appartient à chacune de nous.

FAIRE MAL… OU SE LIBÉRER ?

Un jour, une femme exprima en toute honnêteté devant un groupe la nécessité d'extérioriser ses frustrations et profiter du bien-être qui en découlait par la suite. « Nous devons expulser le trop-plein pour ne pas garder le mauvais à l'intérieur de nous, ça fait tellement de bien », termina-t-elle. Personne ne peut contredire le bien-fondé et la nécessité d'exprimer ses sentiments, d'extérioriser ses émotions. Ce que nous discutons ici, c'est davantage la façon dont nous extériorisons ces fameuses émotions. Nous ne sommes pas sans savoir qu'il existe une manière de dire et de faire les choses afin d'éviter de blesser, et qui pourrait nous faire effectivement du bien plutôt que détruire notre entourage.

Par exemple, si le but ultime est d'évacuer ce qui nous tiraille à l'intérieur, il est préférable d'aller voir directement la personne concernée et de lui dire ce qui ne va pas. Bien sûr, cela fait appel au courage, mais aussi à la volonté de gérer un conflit ou simplement de clarifier une situation ambiguë, parfois une mauvaise perception, une fausse réception. Et lorsque c'est dit, sachons passer à autre chose, ne revenons pas sur le problème sans cesse et toujours, en l'amplifiant, ce qui crée presque invariablement une hémorragie.

Ne perdons pas de vue que le fait de parler dans le dos d'une femme ne changera pas son attitude, car elle ignore qu'on lui reproche quelque chose. Dans le cas où nos médisances lui parviendraient ou qu'un clan serait formé contre elle jusqu'à ce qu'elle se sente harcelée, cela ne changera pas son comportement. Parler sans relâche de cette femme qui nous dérange tant, jusqu'à en tomber malade, ne se présente pas ici comme une situation souhaitable ou une action constructive.

Par contre, tenter de discuter avec celle qui nous perturbe ou celle avec qui nous avons un différend est une action positive et responsable, et représente la volonté de régler un conflit. Par contre, il est possible que cette volonté ne soit pas partagée. Que fait-on lorsque notre « adversaire » ne veut pas discuter ou ne peut être sensible à notre cause ? Je ne connais absolument rien de plus efficace que de travailler sur nous-mêmes en nous détachant de la situation. Nous devons simplement lâcher prise. J'aurais souhaité utiliser une autre expression que « lâcher prise », puisqu'elle a été passablement galvaudée et à la mode ces dernières années, mais je ne connais rien de plus juste pour exprimer le détachement. Nous devons ne plus avoir de prise sur la situation, devenir un peu plus zen, car nous ne sommes pas responsables de l'autre. Si notre « ennemie » ne veut pas collaborer pour trouver une solution au conflit, nous ne pouvons tout de même pas nous rendre malades !

Par ailleurs, si quelqu'une a un comportement qui nous irrite, demandons-nous ce que cela interpelle en nous ? Quelle corde sensible a été touchée ? Dans le cas où nous n'avons pas le choix de fréquenter cette femme, selon la complexité du problème, nous pouvons opter pour le détachement ou encore une modification de notre approche en consultant un thérapeute qui nous aidera à y voir plus clair. Plusieurs personnes ont eu recours à ce soutien professionnel pour apprendre à lâcher prise et à vivre davantage en harmonie avec les différentes personnalités qui les entourent quotidiennement.

Privilégier la discussion en vue de régler un problème ou nous distancer d'une situation sur laquelle nous n'avons pas de pouvoir relève de la sagesse, de l'honnêteté et d'un respect envers nous-mêmes et les autres. Par contre, lorsque nous déclenchons la mécanique du dénigrement, l'idée derrière cette pratique n'a plus de lien avec le besoin de nous libérer. Elle est davantage liée à l'intention de blesser. Et c'est là, me semble-t-il, que nous versons dans la méchanceté. Une autre proposition vise à demeurer très aimables avec les attaquantes ; très souvent cela les désarme. Mais cette intervention possède ses limites et ne sait être efficace que dans des cas plus légers.

Lorsqu'un événement précis nous affecte, rien ne nous empêche de demander conseils, de discuter, d'élaborer des solutions. Il est très sain d'emprunter de nouvelles pistes; par exemple, d'aborder une amie afin de partager une émotion délicate. Par contre, s'asseoir toute une soirée et parler à tort et à travers de quelqu'un à son insu, déverser son fiel et terminer en apposant le sceau du jugement sur l'autre est beaucoup moins honorable. Rien n'est constructif dans ce genre d'intervention. Au contraire, cela ne fait que nourrir la colère et, parfois même, la haine pour une tierce personne. D'ailleurs, ne dit-on pas que « les absents ont toujours tort »? Ce n'est pas de bonne guerre d'empêcher l'accusée de se défendre!

Frustrations personnelles et blessures

Avons-nous parfois l'impression de faire payer une innocente pour nos frustrations? Lorsque tout va mal le matin, il pourrait arriver que quelqu'un paie la note avant la fin de la journée. Nous parlons ici du trop-plein : nous accumulons, nous emmagasinons, nous retenons, nous sommes frustrées, puis quelqu'une nous marche sur les pieds et hop! elle écope et paie pour tout notre lot de misères de la journée.

Lorsque nous crachons notre venin, est-ce que nous tentons de trouver les motifs profonds d'une telle tempête? Il n'est pas rare que les commentaires des intervenantes, après une conférence, laissent transparaître de vieilles blessures à travers leurs interrogations ou leurs échanges remplis de fragilité et de sensibilité. Il est important de comprendre que personne n'est responsable de notre vécu et de nos expériences de vie, aussi difficiles soient-ils. Cela ressemble à une évidence, bien sûr, mais il est toujours bon de nous le rappeler, car notre quotidien nous transporte dans de multiples tourbillons, si bien que nous négligeons l'essentiel.

À titre d'exemple, si nous avons grandi dans un milieu familial où nous avons été diminuées, il est compréhensible de développer une sensibilité accrue lorsqu'un membre de notre entourage tente de nous faire sentir stupide, ne serait-ce que par son ton ou carrément par des mots tranchants et directs. Mais ne perdons pas de vue que personne n'est responsable de notre passé. Nous sommes responsables de nous guérir, le mieux possible, pour trouver ou retrouver l'estime de soi, mais également pour être moins vulnérables en société et mieux dans notre peau.

Un peu plus tôt, lorsque nous soulevions l'importance de développer notre confiance en soi pour détourner la jalousie et pouvoir fonctionner mieux socialement, il n'était pas uniquement question du marché du travail. En effet, cela commence à la maison avec notre conjoint et nos amies. Au même titre, nous ne sommes pas responsables des blessures ni des frustrations des autres ! Nous ne sommes pas tenues de payer pour leurs dettes, pas plus qu'ils doivent payer pour les nôtres.

Je me souviens que, durant une période où je n'avais pas d'emploi, une amie vivait un vrai conte de fées sur le plan professionnel. Alors que mes relations sociales se limitaient au personnel de l'épicerie au coin de ma rue, elle me racontait tous les voyages d'affaires qui l'attendaient, de la Californie à la Floride, en passant par les nombreux galas et soirées de remises de toutes sortes. Malgré ma situation, je ne ressentais aucune jalousie. Je l'ai écoutée jusqu'à la fin et lui ai dit : « Je suis tellement heureuse pour toi, tu le mérites bien. Tu as fait des sacrifices énormes depuis que tu occupes ce boulot; personnellement, je n'aurais jamais toléré tout ce que tu as enduré. Je suis fière de toi. Enfin, tu es récompensée pour ta patience. » Après un long silence, elle m'a répondu : « Tu es la première à me dire ça. Toutes mes autres amies sont jalouses et me traitent de tous les noms, en blague bien sûr, mais je sens qu'elles le pensent. Merci, c'est très gentil de ta part. Tu n'as jamais été jalouse, toi. Je commençais à développer un complexe et à me dire que je devais peut-être garder pour moi les belles choses qui m'arrivent. »

Ce que je venais de lui partager était authentique ; j'étais tout à fait heureuse pour elle et elle le méritait amplement. Et il est aussi vrai que je n'aurais pas supporté le tiers de ce que sa patronne lui avait fait subir — eh oui ! elle comptait parmi les femmes que sa supérieure avait fait baver un bon coup. De retour d'un congé de maternité, sa patronne avait embauché un homme pour lui confier les tâches les plus intéressantes et laisser à ma copine les plus ennuyeuses, qui relevaient simplement du secrétariat. Même si je n'avais pas d'emploi et presque plus d'argent, manifester de la jalousie (que je ne ressentais pas) ou la faire sentir coupable d'être enfin heureuse à son travail n'aurait rien changé à ma situation. De plus, ce n'était certainement pas sa faute si je n'avais pas de boulot ; elle n'avait pas à payer pour cela. Il est évident que je souhaitais vivre ça un jour, mais sans plus. Je percevais cette réussite comme une chance qui pouvait se produire pour moi également.

Il n'est pas rare d'entendre : « N'en parle pas à une telle, je ne veux pas de jalousie ou de vibrations négatives. » Bien difficile de développer des relations sincères et profondes lorsque nous devons taire nos réussites et nos succès. À ce sujet, avons-nous remarqué le vif intérêt que l'on nous manifeste lorsque notre vie bat de l'aile ? Nous devenons tellement intéressantes que la galerie se transforme tout à coup en une grande oreille remplie de compassion et de délicatesse. Plusieurs ont compris le principe et n'arrivent qu'à parler de leurs malheurs, de leurs maladies et de leurs déboires. D'ailleurs, les magazines à grand tirage sont remplis de cas vécus, plus tristes les uns que les autres, preuve que le malheur des autres nous passionne et nous nourrit. Incidemment, le terme allemand *Schadenfreude* commence à être présent sur bien des lèvres et signifie parfaitement : joie maligne.

Bref, nous avons appris à taire les bons coups, les opportunités, les chances que nous vivons et qui nous apaisent. Pourquoi ? Pour éviter, entre autres, la jalousie et les vibrations négatives. Je me souviens d'une amie, que je n'ai plus d'ailleurs, qui n'avait pas d'enfant, et j'en oublie les raisons. Un beau jour, je lui téléphone pour lui annoncer que j'étais enfin enceinte. Même le pharmacien avait été témoin de ma joie démesurée ; j'ai le souvenir d'avoir carrément sauté à pieds joints dans la pharmacie. Il m'avait dit : « Il semble que ce soit une bonne nouvelle. Félicitations ! » Mais lorsque je l'ai annoncé à ma copine, elle m'a répondu froidement : « Ne sois pas trop contente, d'ici trois mois, tu peux le perdre. » Cette réplique m'avait jeté une douche froide et j'avais raccroché, prétextant un imprévu.

Je me rappelle que je n'arrivais plus à lui parler et je pleurais souvent en comptant les jours, attendant que les mois passent. Au quatrième mois, je l'ai rappelée pour lui partager cette angoisse qu'elle m'avait transférée et la peine qu'elle m'avait causée. Elle s'est excusée sans plus, car elle voulait simplement me mettre en garde. Lorsque j'ai cherché à comprendre son intervention si peu humaine, j'ai pensé qu'elle n'avait pas d'enfant et que cela devait représenter de la frustration dans sa vie. Elle ne connaissait pas les joies de porter un enfant, et elle n'avait pas cru bon de simplement partager mon bonheur.

Je n'imagine pas un être humain sans frustration, sans malaise intérieur, sans tourment ; cependant, l'idée générale est de les gérer, de les atténuer, de tenter, autant que possible, d'éliminer nos frustrations, et selon le degré et la profondeur de nos blessures, on peut le faire seul, par une introspection et un travail sérieux quotidien, ou avec l'aide d'un thérapeute. Partant du principe que nous avons toutes notre part de soucis, que nous avons toutes traversé des épreuves qui nous ont marquées ou qui ont empoisonné notre existence durant une période plus ou moins longue, rien ne sert de gratter la cicatrice de l'autre pour rouvrir la plaie. Commençons par soigner la nôtre.

Doit-on tout dire ?

La réponse à cette question est simplement « non ». Encore là, il ne s'agit pas de garder tout en dedans, de nous mettre dans un état de frustration, d'accumuler les griefs, mais simplement de nous tourner la langue sept fois avant de parler. Je trouvais cette phrase particulièrement irritante à une certaine époque et, pourtant, aujourd'hui je ne cesse de me la répéter. Nous comprenons bien que l'idée sous-jacente est de réfléchir avant de nous lancer dans des attaques ou dans l'expression de malaises ou d'impressions personnelles. Il est de bon ton de nous questionner sur la nécessité, voire la pertinence d'une intervention.

Bien sûr, il est recommandé d'exprimer nos sensibilités, mais il y a bon nombre d'émotions que nous devrions taire. Une de mes copines a eu l'idée de réunir quatre filles avec plus ou moins les mêmes intérêts, le premier vendredi soir de chaque mois, pour discuter littérature autour d'un repas. L'idée était géniale, sauf qu'elle ne s'est concrétisée qu'une seule fois. Je ne m'en cache pas, j'ai été la première à battre en retraite. Cette première rencontre s'est terminée en catastrophe. Vivianne, notre hôtesse, vivait une période difficile en plus d'avoir le coude léger, comme nous toutes d'ailleurs, mais semble-t-il qu'elle le supportait moins bien. Alors, au milieu du repas, l'atmosphère s'est échauffée et les attaques ont commencé à pleuvoir dans tous les sens.

Vivianne avait amorcé l'échange avec l'auteur qui l'inspirait le plus, puis Isabelle a exprimé qu'elle ne comprenait pas ce choix, que cet écrivain avait une vie vraiment misérable et les critiques à son sujet étaient unanimes : « Il est misogyne et ne possède aucune qualité, il est tout, sauf un exemple », dit-elle. Vivianne se fâcha et se sentit attaquée personnellement tandis que Marie-Andrée et moi tentions d'éteindre le feu et de détourner le sujet. Les deux filles se sont mises à s'attaquer mutuellement en mettant en relief les défauts de l'autre, à savoir que Vivianne s'enflammait pour un oui ou pour un non et qu'Isabelle avait le sens critique trop développé.

Finalement, les attaques ont cessé. Nous avons réussi à faire tourner le vent et à aborder un autre sujet. Étant donné que j'avais de moins en moins de jasette, n'ayant plus vraiment envie d'être là, Vivianne décida que j'étais la nouvelle cible. Parce que je ne parlais pas, elle décréta que j'étais un éteignoir et que j'installais le malaise dans le groupe du fait que je traversais une période difficile et que j'étais déprimée. Aussi bien dire que j'aurais pu rester chez moi ! Les échanges fielleux regagnèrent du terrain et nous nous lançâmes à nouveau dans des règlements de compte, allant gratter les gales sur les plaies vives de l'une et de l'autre.

Lorsque la soirée se termina prématurément, nous étions épuisées, profondément blessées et nous sommes parties, chacune de son côté, avec la ferme intention de ne pas renouveler l'expérience. Trois semaines plus tard, Vivianne me téléphona pour m'annoncer que le souper aurait lieu le vendredi suivant chez Marie-Andrée. Je lui expliquai que je ne comptais pas participer à ce genre d'événement, trop névrosé à mon goût. Elle termina la conversation en me disant que c'était mieux ainsi, car j'étais tellement déprimée que j'allais installer de nouveau le malaise.

Oui, possiblement qu'il y a eu des signes de *bitchage* durant les semaines qui ont suivi, mais l'idée soulevée ici est que Vivianne avait raison, j'étais légèrement déprimée. Pourtant, s'était-elle posé la question à savoir s'il était nécessaire et pertinent de ne manquer aucune occasion de me le rappeler sans cesse ? Certainement pas. Pourtant, si elle l'avait fait, elle aurait pu répondre à la question : « En répétant à Marthe qu'elle est profondément déprimée, le sera-t-elle moins ? Quelle est la nécessité de lui rappeler qu'elle ne va pas bien, sinon la déprimer davantage ? » Vivianne a manqué une excellente occasion de se taire ! Cette amie à l'époque s'avérait fervente du « nous devons tout dire ». Pourtant, elle ne gardait pas ses copines très longtemps, aucune file d'attente devant sa porte. Et bien qu'elle se permît de tout dire, elle démontrait une immense incapacité à recevoir les critiques.

On pourrait croire que sa grande honnêteté aurait pu lui apporter une belle sagesse et un bien-être intérieur semblable à celui inspiré par des relations vraies et profondes. Étrangement, ses malaises étaient nombreux, les problèmes avec sa mère, considérables, et sa vie amoureuse était remplie d'embûches et de frustrations à différents niveaux qui l'envahissaient. Ce qui me fait remettre en question la pertinence de tout dire tout le temps et d'exprimer les petits malaises qui ne concernent personne d'autre, sinon nous-même.

Nous sommes-nous déjà demandé ce que nous ferions si nous étions sur la sellette ? Je propose souvent à mes participantes de prendre conscience des phrases qu'elles lancent, commençant par : « Ce n'est pas que je ne l'aime pas, mais… », « As-tu remarqué une telle, elle s'habille… », « Elle a dit que… ». Je leur demande ensuite de s'arrêter pour tenter d'imaginer comment elles se sentiraient si c'était contre elles que l'on parlait. Habituellement, ce petit exercice coupe de manière draconienne l'envie d'aller plus loin dans le potinage et le commérage. Cela peut paraître un peu simple, mais l'idée de transférer sur soi ce genre de situation fonctionne à coup sûr. Tenter d'imaginer que l'on parle dans notre dos ou qu'autant de méchanceté soit versée sur nous freine à coup sûr le *bitchage*. Mais encore faut-il faire l'exercice !

Nous avons tort de croire que tout le monde nous aime, que nous ne blessons personne et que nos interventions sont toujours justes dans tous les domaines. Comprenons bien que nous dérangeons des gens, que nous ne faisons pas l'unanimité… en d'autres mots, nous n'avons pas toujours la cote. Mais ce n'est pas une raison pour se faire démolir, pas plus que nous avons le droit de détruire les autres. Lorsque nous souffrons, le fait de frapper sur nos pairs féminins ne nous soulage pas pour autant. Pourquoi nous octroyer le droit de juger les femmes et de vouloir les amener à notre manière de faire et de penser ?

PARLER FRANCHEMENT
ET PASSER À AUTRE CHOSE

Comme nous l'avons abordé précédemment, l'idéal est de parvenir à exprimer franchement ce qui ne va pas. Nous devons nous permettre de communiquer à notre interlocutrice les dérangements ou les préoccupations qui nous concernent au fur et à mesure qu'ils se présentent, si vraiment c'est pertinent, puis passer à autre chose. Cela évite d'élaborer des dossiers tout en se libérant l'esprit. Dès lors, nous avons le loisir d'imaginer des projets constructifs.

Il faut, au demeurant, évaluer la pertinence de parler d'une émotion ou d'un malaise. Si nous décidons qu'un incident survenu n'est pas important, qu'il ne vaut pas la peine d'alerter le quartier, eh bien, ne le gardons pas à l'intérieur de nous pour le nourrir comme un bébé et le faire grossir jusqu'à ce qu'il devienne adulte et que notre frustration éclate. Non! Si nous décidons que ce n'est pas important, laissons-le aller. Ne dépensons aucune énergie, ne cultivons aucun sentiment négatif face à cet événement.

Mais si, au contraire, nous ressentons le besoin profond de faire le point sur un échange qui nous a blessées, faisons-le de manière franche et directe en exposant simplement ce que l'on a ressenti. Éviter d'accuser l'autre est certainement un excellent conseil à retenir. Il faut également être prête à faire face à une fermeture d'esprit quant à la volonté de l'autre de régler le conflit. Il m'est arrivé de blesser une amie sans le vouloir. Je me suis rendu compte de mon erreur en voyant son visage se transformer et son silence s'ensuivre. J'ai changé de sujet, tentant de me racheter et de faire oublier l'incident, ce qui a plus ou moins fonctionné. L'après-midi s'est terminé et nous sommes rentrées chacune chez soi. Le soir venu, je ne pensais qu'à cela et je savais que notre lien n'allait pas se retisser sans une intervention de ma part. Alors, je lui ai téléphoné et lui ai présenté mes excuses, étant disposée à une fin de non-recevoir. Mais, à ma grande joie, elle était contente que je l'appelle puisqu'elle ressentait également un malaise entre nous.

Je lui ai expliqué que ma sensibilité était à fleur de peau devant le problème qu'elle vivait et que ma réaction démesurée était tournée contre moi et non contre elle. Je ne posais aucun jugement, mais réagissais avec une grande émotivité, car son vécu m'interpellait drôlement. Elle a compris mon point de vue et a accepté mes excuses. Nous n'en avons jamais reparlé par la suite, le dossier était réglé.

Si nous décidons de résoudre un problème, n'en parlons plus et essayons le plus possible de nous libérer de ce qui nous tracasse. Je connais des femmes qui en veulent encore à leur ex-conjoint et gardent cette haine à l'intérieur d'elles. Que pouvons-nous faire de constructif avec ce venin refoulé? Nous pouvons toujours avoir recours à une psychothérapie (brève ou longue), à une psychanalyse, à une conversation intime avec un bon ami... Peu importe, l'important est de garder le moins possible de sentiments négatifs, de ne pas les nourrir, de ne pas les chérir, de ne pas les ramener sans cesse à la surface, comme s'ils étaient survenus la veille. La phénoménale mémoire féminine nous entraîne souvent dans ce processus traître.

Si, pour une raison personnelle, l'autre ne veut plus nous parler ou régler le conflit, il n'y a rien que nous puissions faire. Je repense à cette amie qui n'a jamais retourné mon appel, qui a feint de ne pas me connaître lorsque je suis passée dans l'entreprise où elle travaille; quel choix se présentait à moi? La détester pour le reste de mes jours, car elle m'avait repoussée? Me sentir coupable en imaginant que j'avais fait quelque chose d'horrible? Ou poursuivre ma recherche pour l'amener à me révéler ce qui n'allait pas? J'ai pensé à cette dernière solution, me disant : « Je vais la confronter et lui demander les raisons de son attitude négative à mon égard. » Mais rapidement s'imposa l'idée qu'elle ne serait pas sincère puisqu'elle n'avait même pas le courage de me rappeler. Avait-elle classé l'affaire en se disant que je n'existais plus? Cette hypothèse étant plausible, j'ai décidé d'en faire tout autant. J'ai gardé le silence.

En y pensant bien, la seule personne que je blesse, c'est moi-même. Puisque cette amie n'est plus dans ma vie, que je n'ai plus de contact avec elle, comment peut-elle savoir ce que

je ressens? Et à qui cela nuit-il? Seulement à moi. Par conséquent, j'ai classé le dossier, sachant que je n'avais aucun pouvoir sur la situation et que, par le fait même, cela ne valait
absolument pas la peine que j'investisse temps et énergie à
chercher le «pourquoi du comment». J'ai placé cette
ancienne amie parmi mes bons souvenirs, pour le temps passé
ensemble, et maintenant elle ne fait plus partie de ma vie. Je
n'éprouve aucun sentiment pour cette femme, ni joie, ni
colère, ni haine. Incidemment, je me sens beaucoup mieux.

Ce que nous devons accomplir lors de l'émergence d'un
conflit, c'est trouver notre part de responsabilité. Ne pas dra-
matiser la situation réelle est un premier pas à franchir. Par la
suite, il est de notre devoir d'agir là où c'est possible, sinon
apprenons à lâcher prise en privilégiant une attitude beaucoup
plus zen. Oui, c'est possible!

En terminant

DÉSAMORCER LES CONDITIONNEMENTS

Superbes toutes ces idées, mais il n'est pas si simple de changer de comportement après toutes ces années de conditionnement. La marche à suivre réside dans le désamorçage de nos automatismes. Ne nous leurrons pas, cette pratique signifie aller à contre-courant, ne pas suivre le troupeau. Cette pression d'être l'égale de nos pairs débute déjà dès l'adolescence. Les personnes anarchiques possèdent, la plupart du temps, une forte personnalité et n'ont généralement pas bonne presse. En effet, dans notre société où tout nous ramène à une normalité, à une uniformité, nous avons tendance à emboîter le pas. Nombreux sommes-nous à utiliser l'expression « le nivellement par le bas » et avec raison.

Après avoir frappé à la porte, j'entre dans la chambre de ma fille. Elle regarde une émission nullement éducative à mon avis, et bien en deçà de ses capacités intellectuelles, où le *bitchage* est à l'honneur d'ailleurs.

Un peu découragée, je lui pose quelques questions :

« Je ne comprends pas. Comment peux-tu écouter une émission comme celle-ci ? Qu'est-ce que tu y trouves de si intéressant ?

— C'est niaiseux et je trouve ça drôle. Ça me fait rire.

— Mais ne trouves-tu pas que c'est en dessous de tes compétences intellectuelles ?

— Bien sûr, mais si je n'écoute pas ce genre d'émission, je ne pourrai pas en parler avec mes amis à l'école demain.

— Ah ! parce que tout le monde écoute ça ?

— Oui, même les profs. Et moi, je n'ai pas envie d'être ignare à ce sujet, de ne pas savoir de quoi ils parlent. »

J'ai déposé mes lèvres sur son front en lui disant : « Je t'aime », et je suis sortie bouche bée. J'aurais voulu lui offrir un peu plus de directives, mais je ne trouvais pas les mots. Pourtant, l'éducation qu'elle a reçue ne va pas du tout dans cette direction, au contraire. À son âge, elle effectue ses propres choix et je m'engage à les respecter, même si elle choisit d'emboîter le pas. La période de l'adolescence, pour plusieurs, signifie : *Je fais comme mes pairs.* Par contre, j'ose espérer qu'à l'âge adulte, nous faisons des choix pour nous-mêmes, dans la mesure du possible, en ne nous souciant pas, ou peu, de l'opinion de nos pairs. Je suis consciente que s'affranchir n'est pas si simple que cela. Mais nous devons travailler en ce sens à nous améliorer.

Étrangement, l'émission qu'elle écoute est du *bitchage* dont le but premier est d'éliminer des participants à un concours, et ce, par la médisance. Je suis estomaquée. Mais que puis-je lui dire : « N'écoute pas cette émission ! » Certainement pas. J'ose croire qu'elle fera d'autres choix à l'âge adulte, c'est tout ce que je peux espérer pour le moment.

Il me semble que, lorsque nous entrons sur le marché du travail, nous devenons membres à part entière d'une micro-société, nous ne devons plus craindre d'être différents. La période de l'adolescence, bien loin derrière, aurait dû nous enseigner l'autonomie, l'indépendance et la liberté de penser. Si, pour toutes sortes de bonnes raisons, cela n'a pas été le cas, il n'est jamais trop tard pour reprogrammer notre « disque dur ». Rien ne nous empêche de refaire des choix qui favoriseront notre bien-être, contribueront à notre équilibre, en plus d'assurer une atmosphère beaucoup plus saine au travail comme à la maison.

D'ailleurs, un journaliste avait traité de manière particulièrement habile et avec humour le fait de devoir écouter les émissions de télévision les plus populaires afin de nous intégrer aux conversations entre collègues. Fondamentalement, il a parfaitement raison ; pourtant, je ne regarde pas la télé et j'arrive à entretenir des conversations fort intéressantes avec mes collègues. Il est vrai qu'on me regarde étrangement lorsque je dis que je n'ai pas de télévision. J'écoute la radio, je lis les journaux et regarde des films, mais mon passe-temps favori demeure la lecture. Ce que je cherche à exprimer, c'est simplement qu'on ne meurt pas si l'on ne regarde pas la télévision tous les soirs pour suivre des séries télédiffusées, adaptant ainsi notre emploi du temps autour de la programmation.

On ne meurt pas non plus en disant non à des propositions qui ne nous conviennent pas ou à des activités qui ne nous apportent rien ou, encore, en refusant de côtoyer des gens que nous n'aimons pas vraiment. Nous sommes maîtres de notre vie, de nos choix et de notre implication dans une activité qui nous déplaît. Dans le même ordre d'idées, rien ne nous empêche de nous retirer lorsqu'on commence à discuter contre une personne qui est absente. Si nous faisions tous et toutes de même, le commérage ne pourrait avoir lieu, car pas de public, pas de *bitchage*.

Dans le processus du désamorçage de nos conditionnements, il est certain que les débuts sont ardus. Nous aimons bien nos routines et préférons marcher dans nos sentiers battus — et cela se comprend, car il y a tant de batailles à mener dans une vie. Et pour cause, l'inconnu fait peur et l'angoisse du rejet encore davantage. Il faut tout de même savoir que, même si on est rejeté, on n'en meurt pas. *A contrario!* Il s'agit là de l'opportunité de choisir son entourage plutôt que d'être choisie. N'est-ce pas là une avenue intéressante?

Une amie me disait, un jour, qu'elle avait fait du ménage dans son carnet d'adresses. Cela m'a fait rire, car j'avais fait la même chose. Aujourd'hui, toutes les deux, nous choisissons nos amies et nous sommes beaucoup plus heureuses avec un entourage qui nous ressemble davantage. Je choisis de rassembler autour de moi des amis qui me respectent et m'acceptent telle que je suis, sans me juger ou me critiquer. Mes changements, je les apporte moi-même à la vitesse de mes apprentissages, et non parce qu'on me demande de changer.

Autre élément que nous devons comprendre et ne jamais oublier : peu importe les choix que nous ferons, les gestes que nous poserons, il y aura toujours quelqu'un pour nous juger et nous critiquer. Que ce soit un membre de notre famille ou quelqu'un dans notre environnement de travail, nous ne pourrons jamais plaire à tout le monde, alors privilégions l'idée de nous plaire à nous-mêmes. C'est un fichu de beau départ.

S'ENTRAIDER PLUTÔT QUE SE NUIRE

Alors que j'animais une conférence à Montréal, une dame ne cessait de parler et de rire avec un petit groupe autour d'elle. Je fis semblant de rien et poursuivis mon exposé. Quelques participantes s'opposaient aux propos que j'émettais sur le *bitchage,* à savoir que cette pratique était davantage réservée aux femmes alors que les hommes, généralement, réglaient leurs conflits de manière franche et directe et poursuivaient ensuite leur route. Les débats allaient bon train et l'animation ne manquait pas de piquant. Les interventions abondaient de tous bords, tous côtés.

Soudain, cette dame éclata, soulevée par un élan d'impatience, et elle se lança dans une agression verbale non retenue contre moi et ma présentation. Elle déclara en avoir assez de mon discours, ayant l'impression de retourner vingt ans en arrière. Elle avait la conviction que j'étais là simplement par besoin de parler de mes expériences personnelles, que j'en voulais aux femmes et que je n'avais pas réglé mes conflits intérieurs. Pour elle, mon discours ne correspondait pas à la réalité et à la vie d'aujourd'hui. Une autre s'est levée en prétendant que ce que je racontais était mensonger et elle souhaitait vivement que je termine rapidement mes balivernes.

Devant de telles manifestations de colère quant à ma présentation et mes propos, je fus saisie de stupeur pendant quelques secondes. Je les remerciai pour leurs précieux commentaires, leur déclarant que nous avions tous le droit à nos opinions, mais que je n'étais pas là par hasard. Quelqu'un avait fait appel à mes services pour parler justement de ce sujet. Cela ne manqua pas de les laisser bouche bée. Je poursuivis ma conférence accompagnée d'un certain silence.

Une fois seule, je me penchai plus sérieusement sur ces interventions, ma foi, assez brutales et inattendues. Je tentai d'en comprendre le sens profond. Que se cachait-il derrière autant de rage et de mépris en rapport au travail que j'essayais d'accomplir. L'idée me vint que ces femmes avaient possiblement souffert d'un événement pénible, bien des années plus tôt. Peut-être avaient-elles balayé toute cette douleur sous le tapis et, moi, j'éveillais cette souffrance par le contenu de ma conférence. À moins qu'elles ne fussent elles-mêmes des femmes qui *bitchaient* ?

Sans le savoir, elles n'ont pas manqué de me conforter dans l'idée qu'effectivement les femmes prennent un certain plaisir à saboter le travail d'autres femmes. C'est précisément ce qu'elles venaient d'accomplir et, par le fait même, elles donnaient valeur à mon témoignage. Aucun des hommes présents, peu nombreux, certes, n'avait remis en cause mes compétences ni la pertinence de mes énoncés ; ils avaient discuté simplement, offrant avec calme leur opinion personnelle. Ils ne manquèrent pas de me questionner plus en profondeur, m'obligeant à préciser mes observations.

Ces deux femmes avaient délibérément tenté d'installer un malaise général dans la salle en prenant tout le monde à témoin sur ce qu'elles qualifiaient de « non pertinent » à propos de ma présentation. Ne venaient-elles pas de démontrer que les femmes ne peuvent pas toutes être professionnelles ? Elles auraient pu garder leurs commentaires pour elles, quitte à venir me les présenter à la fin de la conférence de manière discrète. Cela aurait été plus élégant et respectueux pour la conférencière. Elles auraient pu aussi élaborer leur point de vue de manière à créer un débat intellectuel en soulevant des questions plutôt qu'en lançant des accusations et des jugements sans appel. Elles auraient pu également aller voir les organisateurs de l'activité pour exprimer leur insatisfaction quant à la pertinence d'un tel sujet dans leur entreprise. Voilà une preuve sur mesure que les femmes prennent à partie un groupe afin de les monter contre le travail d'une autre femme. Auraient-elles fait la même chose devant un conférencier?

Nous n'étions pas vingt ans en arrière, nous étions là, dans le présent, et le travail d'une femme était entaché par les interventions maladroites mais volontaires de deux autres femmes, et ce, devant un groupe pris à témoin. Qu'on émette son opinion, qu'on soulève le désaccord de mes propos, je veux bien, mais qu'on tente de condamner du revers de la main la véracité de mon discours en lui donnant un sens qui n'existe pas, bien des femmes savent parvenir à un tel exploit. Je les remercie sincèrement d'avoir renforcé ma certitude du bien-fondé de dénoncer cette épidémie destructrice. Sans le savoir, elles m'ont motivée à poursuivre mon travail de sensibilisation dont je comprends, encore davantage aujourd'hui, l'urgence et la nécessité.

Par ailleurs, je déplore que ces femmes se soient permis d'intimider à voix haute un auditoire, tandis que d'autres femmes sont venues m'exprimer après la conférence, les larmes aux yeux, encore très gênées et émues, leur gratitude et leur reconnaissance devant mon travail et les prises de conscience qu'elles ont eues. Elles m'ont secrètement avoué avoir vécu ces problèmes et s'être justement reconnues à travers mes propres expériences. Pourquoi permettons-nous à d'autres de cracher leur venin sans retenue et crier haut et fort leur méchanceté et leur volonté de démolir, pendant que les sentiments nobles et sincères sont encore balbutiés? Souvent, ces femmes sont considérées comme des éternelles victimes par les dirigeants eux-mêmes et par leurs collègues.

Pour moi, la confirmation était faite. Les femmes qui vivent ce fléau ont honte, se cachent et chuchotent le mauvais traitement qu'elles subissent. Pourquoi ne se seraient-elles pas levées pour contrecarrer les dires de ces femmes qui niaient le bien-fondé de ma conférence ? Parce qu'elles avaient peur du jugement de leurs collègues et que le caractère fort des meneuses d'énergie les intimidait. Étrangement, les propos que je persévérais à exposer s'étalaient là, dans le réel, sous nos propres yeux. Le dernier acte se jouait. La théorie et la pratique s'entrecroisaient. Malheureusement, nous avons peur de dénoncer notre bourreau. En réalité, les plus souffrantes du groupe étaient possiblement les plus concernées. Elles se sont levées et se sont nommées devant leur propre auditoire, disant à mots couverts : « J'ai souffert, personne ne sera épargné ! »

L'effet inverse aurait été souhaitable, c'est-à-dire qu'une femme se lève et dénonce les mauvais traitements qu'elle subit de l'une de ses pairs. Si nous persistons à taire ces comportements, nous deviendrons prisonnières de notre propre silence et la situation ne changera JAMAIS, ce qui n'est certes pas souhaitable. De plus, cela ne contribuera certainement pas à l'avancement du bien-être féminin et de la pleine réalisation du potentiel de la femme et de ses compétences.

Devenons fortes et efficaces : s'unir pour réussir

Il va sans dire qu'il y a urgence de changer nos interventions, de modifier notre façon de nous exprimer et surtout d'interagir respectueusement les unes envers les autres, sans quoi, nous courons à notre perte. Cette dernière expérience bien triste devrait soulever de l'inquiétude quant à l'avenir des carrières féminines.

Dès le départ, ce que nous devons remettre en question, c'est la facilité que nous avons de parvenir à nous détester. Je repose la question : « Pourquoi détestons-nous notre propre sexe ? » Si notre volonté est de parvenir à nos fins, d'arriver à nous faire respecter de nos pairs et des hommes, le meilleur moyen, me semble-t-il, serait justement de nous unir pour réussir à surmonter des épreuves. Nous pouvons faire appel à plusieurs symboles comme la complicité, la solidarité, la compassion et autres.

Il apparaît clair que, si les hommes percevaient notre solidarité, nous n'aurions pas à nous battre autant, car ils sentiraient notre cohésion et comprendraient que toute tentative de dénigrement est inutile. Leurs attaques n'auraient aucune prise sur nous. Moins d'énergie de notre part serait gaspillée et perdue en combats inutiles. Évidemment, je ne fais pas référence au fait de soutenir des absurdités simplement parce qu'elles proviennent d'une femme, mais soyons plus souples et moins catégoriques envers nos consœurs. Exprimons notre désaccord, émettons notre opinion, mais ne cherchons pas à anéantir l'autre à tout prix, à la détruire et à la laisser pour morte. Nous pouvons nous opposer à l'opinion d'une femme sans la lyncher. Comme nous le faisons pourtant si souvent pour les hommes.

En agissant de cette façon, les *bitcheuses* perdront une emprise certaine. Plus nous désamorcerons le commérage, le dénigrement et le *bitchage*, plus nous contribuerons à redonner les lettres de noblesse à l'attitude féminine et rehausserons notre crédibilité et notre réputation. Refuser de participer au commérage parce que la personne n'est pas présente pour se défendre désamorce la méchanceté. J'ai déjà expérimenté cette situation et cela fonctionne très bien. Oui, on m'a critiquée par la suite, mais ma position était claire. À partir de ce jour, personne n'insista pour me faire prendre parti durant des séances de dénigrement. Plus nombreuses nous serons à intervenir contre ces activités de démolition, plus les relations entre femmes deviendront saines et équilibrées.

Contrairement à ce que certains veulent bien croire, mes pensées ne sont pas utopiques, je n'imagine pas que nous vivrons un jour sans *bitchage*. Par contre, ce que je souhaite, c'est que nous perdions cette spontanéité à parler contre les autres, ce qui, au fil des ans, a déversé dans une forme de normalité et d'acceptation générale, comme un syndrome que nous n'avons d'autre choix que de nous résigner.

Je persiste à croire, et je tente de toutes mes forces de communiquer la responsabilité individuelle que nous avons dans le fait de contrer le *bitchage*. Cette responsabilité deviendra, par la force des choses, collective, empruntant une autre voie que celle de la facilité, mais combien plus valorisante et constructive à court et à long termes. Pensons à l'avenir de nos filles, des femmes… et travaillons à éliminer les ravages du *bitchage*.

À première vue, il peut sembler que mon discours s'apparente à une forme de féminisme; il n'en est rien. J'exprime des observations graves au nom d'une humanité dans laquelle la femme a le droit d'être et de vivre sans discrimination ni handicap causés par ses propres agissements.

Je réitère l'idée que nous sommes les seules à posséder une emprise sur nous-mêmes, sur nos actes, nos paroles et nos sentiments. Travaillons sur notre propre personne et cessons de vouloir changer les autres pour les amener à ce que nous attendons d'eux. Commençons par exiger de nous-mêmes avant d'imposer aux autres une dictature que nous avons instaurée. Comprenons que la confiance en soi demeure notre meilleure arme contre le *bitchage* et toute attaque dirigée contre nous.

Demeurer *businesswomen*
et non émotives

Adopter une attitude de *businesswoman* ne signifie pas devenir froide et sans sentiments, mais plutôt demeurer sensible aux autres sans tomber dans les émotions qui paralysent ou, au contraire, qui poussent à agir spontanément. Particulièrement dans notre milieu de travail, apprenons à mesurer avec justesse notre comportement et notre langage, en ne perdant pas de vue que nous devons mettre les événements en perspective avant d'intervenir. Le temps possède de grandes vertus nous permettant de nous déposer et de prendre du recul. Donnons-nous au moins cinq minutes de réflexion avant d'agir, surtout durant les moments d'urgence.

Ne laissons pas les émotions nous envahir en nous dictant des interventions irréfléchies que nous regretterons par la suite. Nos premières tentatives de résister à l'envie d'exprimer notre fragilité et nos vieilles blessures seront ardues et certainement maladroites, mais persistons et luttons contre la facilité de nous laisser emporter par notre côté émotif. Pour regagner notre crédibilité, empruntons la route de la logique. Faisons valoir notre point de vue au lieu de nous lancer dans des émotions féminines qui n'en finissent plus et qui, de toute façon, risquent d'ennuyer les auditeurs, car personne ne peut trouver à redire aux émotions des autres.

Durant des cours de communication à l'université, un enseignant extraordinaire nous avait démontré la nécessité d'échanger, en société, sur des sujets impersonnels plutôt que d'entretenir des conversations personnelles et émotives. Nous avons compris la pertinence de ne pas ennuyer nos convives (souvent des inconnus) avec notre vie privée, alors que nous sommes invités à une soirée officielle.

Dépersonnaliser nos entretiens reflétait premièrement une ouverture d'esprit et, deuxièmement, une capacité d'adaptation, ce qui nous rendait par le fait même moins grégaires. L'exemple qu'il nous donna me fait encore sourire. La mise en situation était particulièrement cocasse. Je ne sais pas s'il l'a vraiment vécue ou s'il l'a inventée pour nous faire comprendre le ridicule d'une situation qui pourrait se présenter à nous comme un piège. Dans le cas où nous aurions à socialiser avec des gens que nous n'avons jamais vus auparavant, il fallait bannir l'idée d'étaler les exploits de notre petit dernier, de prendre position sur l'avortement ou de se lancer dans des confidences sur notre relation avec notre conjoint, car nous ignorions tout de notre interlocutrice. Par exemple, avait-elle subi un avortement la semaine précédente, avait-elle perdu un bébé deux mois plus tôt ou venait-elle de se séparer? Des sujets aussi personnels risquaient de placer notre voisine dans une situation délicate ou de l'ennuyer complètement. Les étudiants ont ri jaune et le message a passé.

Ne pas discuter de sujets qui réfèrent aux émotions, mais échanger davantage sur les arts (peinture, architecture, littérature, musique, etc.), les voyages, la culture de manière générale, d'où découle l'importance de s'ouvrir à tout. J'ai tenté le plus possible d'intégrer ces précieux apprentissages çà et là dans mon quotidien. Il me semble que l'idée à retenir de ces conseils peut s'appliquer ici en cherchant à tendre davantage vers une forme de généralité et garder nos excès émotifs pour la vie familiale… et encore. Partageons nos émotions avec nos amies ou notre conjoint et tentons de nous aventurer le moins possible sur ces sentiers dans notre milieu de travail.

COMMENT RÉAGIR ?

Tout au long de ces pages, nous avons élaboré en profondeur les mécanismes qui poussent bon nombre de femmes à *bitcher*, à être méchantes en exerçant leur pouvoir, dans le but ultime de détruire d'autres femmes. Je suis consciente, bien sûr, que les femmes qui s'intéresseront à ce sujet ne seront certainement pas les mégères, mais celles qui souffrent et qui sont aux prises avec des femmes dangereuses autour d'elles. Mais c'est un premier pas...

Il m'apparaît important de comprendre le fonctionnement de ces femmes mal dans leur peau afin de bien les affronter. Lorsque nous parvenons à comprendre les mécanismes à l'origine d'agissements aussi malsains, une très grande partie du travail est accompli, car nous savons enfin ce sur quoi nous pouvons agir. Lorsque nous comprenons le jeu de notre destructrice, une partie de la *game* est gagnée. Il suffit de suivre le mouvement et, dans le même élan, retirer le pouvoir à notre « adversaire ». Ce n'est pas une situation nécessairement facile, mais avec de la volonté, de la détermination et de la pratique, la réussite est à notre porte.

Par ailleurs, si nous évaluons que notre patronne est solidement installée au sein de l'entreprise et très bien protégée par ses supérieurs, il se peut que la seule solution soit de remettre notre démission. Il est important de développer suffisamment de confiance en nous pour ne pas accepter la démolition totale de notre être et savoir nous retirer avant d'y laisser notre peau. Comprendre que le combat est perdu d'avance, du moins en apparence, relève de l'intelligence émotionnelle et de la sagesse. Pour ma part, ce que je préconise, c'est de savoir CHOISIR nos batailles. Nous avons le pouvoir de décider ce pour quoi nous nous battrons, et je suis sincèrement honnête en affirmant que se battre contre la méchanceté gratuite n'est pas un combat digne de notre intelligence.

Mais si nous jugeons que le combat en vaut le coup, alors, je ne saurais être plus précise et aussi juste que Kim dans son témoignage, « Viol psychologique ». Elle a choisi une voie parmi les nombreuses à emprunter.

« […] Chaque personne a droit au respect de sa personnalité, de ses convictions, de ses opinions et de son intégrité. J'ai appris que, dès la première attaque, on doit réagir, car l'inertie conduit à une escalade de violence psychologique et qu'après, il devient très difficile de s'en sortir. Du fond du cœur, j'espère que ce témoignage servira à briser l'isolement, ne serait-ce que d'une seule personne, actuellement aux prises avec une harceleuse sur les lieux de travail. »

L'ESPOIR D'UN AVENIR MEILLEUR

Loin de moi l'idée d'être pessimiste, mais simplement réaliste. Les chemins qui m'ont menée à la rédaction de cet essai sont nombreux. Le dernier sentier emprunté est possiblement le plus intéressant. Un ami m'avait offert un chèque-cadeau pour un massage Reiki ainsi qu'une consultation. Durant mon déménagement, j'ai perdu le cadeau en question. Ce n'est que quatre mois plus tard que je l'ai retrouvé. C'était le moment ou jamais de me faire enfin dorloter quelques jours avant mon anniversaire. J'ai donc pris rendez-vous et je me suis rendue à l'adresse indiquée, sans trop d'attente. J'imaginais en ressortir avec un bien-être et un sentiment de grande détente, sans plus.

Ce qui m'attendait était un coup du destin que je n'aurais pu imaginer. Le cours de ma vie allait prendre un nouveau virage et ma mission — que je ne cherchais pas, à tout le moins

de manière consciente —, m'est apparue d'un coup. Ma discussion avec la thérapeute m'a saisie. Après lui avoir exposé
mes sentiments profonds inhérents à mon état d'âme durant
cette période transitoire et nébuleuse de ma vie, elle me confia
les deuils qu'elle avait choisi de faire pour vivre plus saine-
ment et, ainsi, aider les femmes au lieu de les haïr pour le mal
qu'elles lui avaient fait. Sa très grande beauté lui avait coûté
extrêmement cher tout au long de sa vie. De la jalousie, elle en
avait subi tous les effets pervers, et la méchanceté féminine, à
son extrême, l'avait marquée au fer rouge. « Une autre ! » me
suis-je dit. Ce n'est que le jour où elle a décidé de ne plus les
détester qu'elle a pu les aider par ses massages.

Les effets du massage Reiki (ventre, tête et pieds) ajoutés à
ses confidences me firent réaliser que, moi aussi, j'en voulais
aux femmes de manière générale. Je les craignais surtout. Je
me suis lancée dans une remise en question complète, repla-
çant dans leur contexte les événements, et j'ai pris la décision
d'apporter également aide et réconfort aux femmes. C'est précisément ce que je tente de faire par le biais de mes conférences et la rédaction de cet essai. Il est vrai que les plus blessées
m'attaquent au lieu de sentir et d'accepter mon aide. Les
débuts ont été passablement difficiles, mais aujourd'hui ma
patience et ma détermination se présentent à elles comme une
voie à suivre.

La femme regorge de ressources inestimables, elle a le privilège de posséder une vision généreuse et sensible des événements, de percevoir à la loupe les émotions d'autrui. Parmi ses
nombreuses qualités, son ouverture d'esprit, sa douceur et sa
finesse comptent parmi les plus convoitées par la gent masculine. Sa mémoire prodigieuse la transforme en compagne et
collègue efficace et fort appréciée.

Si, par peur de perdre leur pouvoir, par mauvaise volonté ou par innocence, bon nombre d'hommes ont participé à notre défaite ou contribué au retard de notre avancement, nous ne devons certes pas les imiter. Si, en plus de surveiller le comportement des hommes pour ne pas être lésées, nous devons nous méfier des femmes, quelle énergie nous restera-t-il pour poursuivre notre croissance et accomplir notre travail au quotidien?

Je désire nous sensibiliser à notre comportement entre nous, les femmes, afin que nous devenions des aides les unes pour les autres, non des bourreaux. Nous ne devrions plus avoir à nous craindre. Grâce à la solidarité, nous pourrions ainsi cheminer beaucoup plus rapidement. Sachons utiliser nos forces et nos qualités à des fins positives et non destructives. Au lieu de parler en mal dans le dos d'une femme, relevons nos manches et, avec détermination, désamorçons la méchanceté des « langues sales » dont le sport préféré est le *bitchage*. Moins l'auditoire sera nombreux, plus la méchanceté perdra de son pouvoir et de son importance. En soignant l'image que nous avons de nous-mêmes, nous serons en mesure d'aimer nos pairs féminins et nous ne contribuerons plus à leur destruction.

Nous sommes en droit de croire que prochainement les femmes ne se percevront plus comme des rivales à abattre, mais comme des complices qui peuvent s'entraider dans l'atteinte de leurs objectifs et le développement de leur plein potentiel.

IMPRESSION
IMPRIMERIE GAGNÉ

Imprimé sur Rolland Enviro100, contenant
100% de fibres recyclées postconsommation,
certifié Éco-Logo, Procédé sans chlore, FSC
Recyclé et fabriqué à partir d'énergie biogaz.